# 육아도 경력이 될 수 있다면 1

## 엄마가 되어가는 시간

글·그림 차엠

# 작가의 말

2022년 10월에 작품 완결을 내고, 지금까지 그렸던 웹툰을 다듬어 책 출간 기회를 주는 공모전에 응모했는데 떨어졌습니다. 마음을 많이 쏟아서 아쉬웠지만, 결과가 나오니 오히려 후련한 마음이 들었습니다. 마음을 추스르고 망설였던 일을 시도했습니다.

먼저 구직활동을 했습니다. 4년 넘게 경력단절된 상태라 걱정이 앞섰는데, 파트타임으로 일하게 되었습니다. 코로나의 여파와 전업주부 생활을 오래 하다가 집 밖으로 나가는 것 자체가 처음엔 어색했지만, 출퇴근하는 직장이 생기고, 월급이라는 고정수입이 생기니 좋았습니다.

다음으로 웹툰 그린 걸 출판사에 투고를 했습니다. 출간 제의가 온 출판사가 있었는데, 웹툰을 그대로 책을 내는 게 아니라 글을 쓰고 그림을 덧붙이는 그림 에세이 형식으로 책을 묶어보기로 이야기 나눴습니다. 하지만 책을 쓰려고 자리에 앉으면 숨이 막히고 글이 써지지 않았습니다. 고민 끝에 지금까지 그린 웹툰을 독립출판으로 내고, 새로운 이야기를 써서 출판사에 나시 투고하겠다고 출판사에 거절 메일을 보냈습니다.

그 후 몇 달간 이 책을 혼자서 편집했습니다. 온라인상으로 웹툰을 볼 수 있지만, 사진첩을 꺼내듯이 옆에 두고 보고 싶어서 웹툰을 직접 책으로 묶었습니다. 분량이 많아서 3권으로 나눴는데, 책 한 권만 읽어도 완성도 있게 편집을 하느라 신경을 썼습니다. 물론 3권을 이어서 읽으면 더욱 좋을 거라고 생각합니다.

책을 만들면서 웹툰 속의 제 모습이 떠올라 마음이 먹먹해지기도 했습니다. 그 당시에는 몰랐습니다. 시간이 지나면 상황이 나아질 수 있다는 것을요. 끝나지 않을 것 같았던 고민들이 대부분 해결되었습니다.

제 꿈에 다가가기 위해 웹툰을 그렸지만, 전업주부로서 무언가를 해야 한다는 압박감에 나온 결과물이기도 합니다. 돌이켜보니 회피주의자였던 제가 육아를 홀로 전담했던 시간은 끊임없이 제 자신을 마주했으며, 사랑을 배웠습니다. 앞으로도 크고 작은 고난에 부딪히겠지만, 지난 몇 년간 조금은 단단해진 마음을 발판 삼아 살아가려고 합니다.

첫 책이라 부족한 점이 많지만, 이 이야기가 육아로 지친 누군가에게 공감과 위로가 될 수 있길 바랍니다.

# 프롤로그

아이를 낳더라도
나를 잃고
싶지 않았다.

당연히 워킹맘이 돼서 일도 육아도 어떻게든
해나갈 수 있을 거라고 생각했다.

그러나 육아휴직이 끝날 즈음
내가 회사에 낸 건 복직 신청서가 아니라 사표였다.

많이 고민해서 내린 결정이었지만, 막막했다.
이렇게 경단녀가 돼도 괜찮은 걸까?
나는 다시 일을 할 수 있을까?

아이는 내 시간을 먹고 무럭무럭 자라는데
나만 멈춰있는 느낌이 자주 들었다.

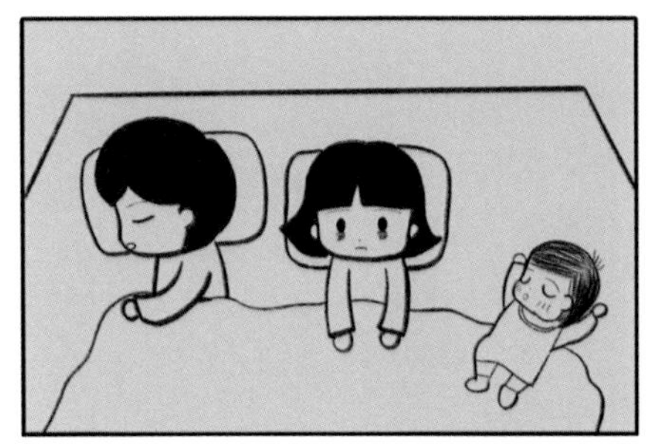

하루빨리 직장을 구해서 이 상황에서
도망치고 싶었고 잠 못 이루는 밤도 많았다.

아이를 키우는 것만큼 중요한 게 없다고 생각하면서
나는 왜 육아에서 자꾸 도망치고 싶었을까?
아이를 키우면서 나를 잃기만 했을까?

아니다.
아이를 키우면서 느낀 여러 가지 감정 중엔
지금까지 몰랐던 행복도 있었다.

엄마가 되고 나를 더 직면하고
탐색해서 나 자신을 알게 됐다.

이력서에는 공백기로 남겠지만,

아이를 키우면서 함께 성장한 이야기.

시작합니다.

# 등장인물 소개

**차엠 (엄마)**

의욕은 넘치지만 저질체력
눈물 많고 감수성이 풍부함
살아있는 걱정 인형
좋아하는 것: 웹툰 보기,책 읽기

**남삥 (아빠)**

차엠의 든든한 남편
집돌이인데 출장이 잦음
우리집 기술자
좋아하는 것: 육퇴 후 게임하면서
술 한 잔, 반지 볼 만지기

**반지 (딸)**

자타공인 엄마 껌딱지
아침형 어린이
자기 주장이 분명한 편
좋아하는 것: 역할놀이, 미술, 강아지

# 차례

# 1장
# 예비엄마 경력

# 아이가 생겼다

시어머님이 '네 꿈' 같다면서 전화를 하셨다.
크고 노란 복숭아를 따는 생생한 꿈.

생리가 예정일보다 늦어지고 있었는데,
꿈 얘기를 들으니 심장이 쿵 하고 내려앉았다.

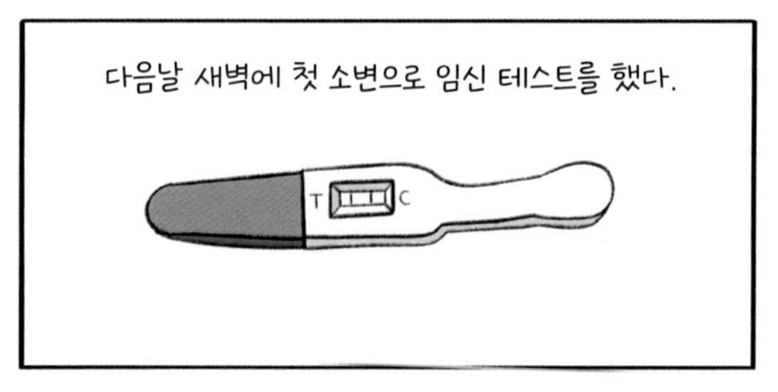

다음날 새벽에 첫 소변으로 임신 테스트를 했다.
T
C

처음 보는 선명한 두 줄이었다.

어떡해!! 일어나 봐!
응...? 무슨 일이야?
두 줄이야! 어떡하지??
어!? 그러네...
그런데 지금 몇 시야?
새벽 4시인가...
음... 예상 못 했던 건 아니잖아...
내일 출근해야 하니깐 우선 자자.
으응...

진정되지 않는 마음을 추스르며 겨우 잠이 들었다.

다음날, 평소와 같은 출근길에 같은 업무를 했는데도

내 배 속에 아이가 있다고 생각하니

왠지 조심스러웠다.

감기 기운이 있다고 둘러대고,
근무시간 중에 잠시 나와서

동네 내과

처음 산부인과

사무실 근처에 있는 산부인과에 갔다.

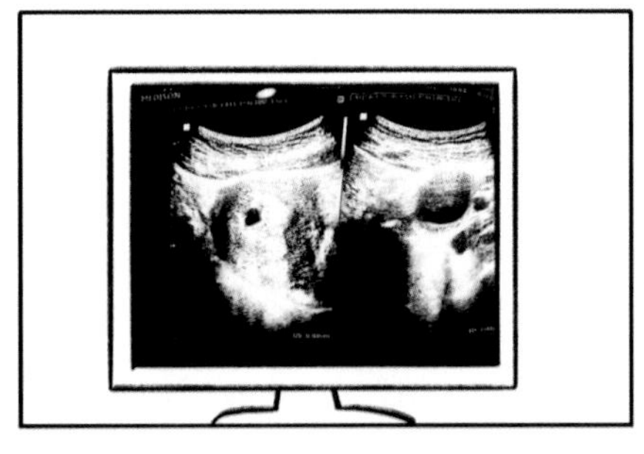

초음파로 콩알만 한 아기집을 볼 수 있었다.
임신 4주 차였다.

남삥과 나는 만난 지 7년이 되던 날 결혼을 했다.

짧지 않은 연애 기간 동안
우리는 미래에 대한 이야기도
종종 나눴다.

남삥은 사귈 때 아이를 갖고 싶다고
장난을 자주 쳤는데,

막상 결혼한 뒤에는
경제적으로
부담이 돼서 아이
갖는 걸 망설였다.

반면 나는 아이를 낳으면
일을 계속할 수 있을지 걱정이 됐다.

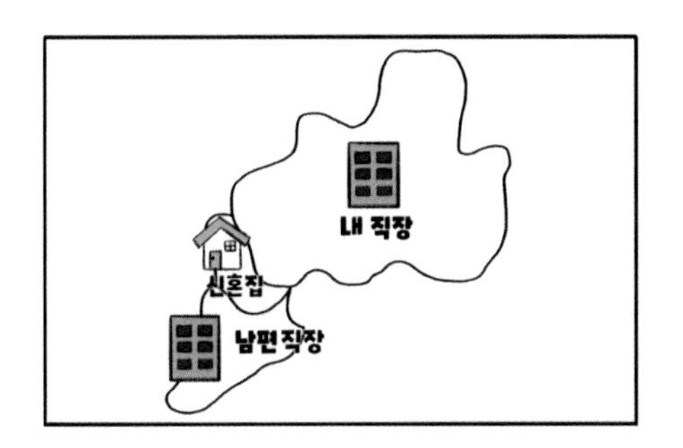


우리는 직장 중간에
신혼집을 구했는데,
둘 다 왕복 3시간 이상을
출퇴근 시간으로 썼다.

아이를 돌보려면 둘 중
한 명은 집 근처로
직장을 옮기는 게
나을 것 같았다.

그런데 아무것도 준비되지 않았는데
아이가 찾아왔다.

사랑하는 사람과 결혼을 했으니
'언젠가' 아이를 갖고 싶었다.

미루던 방학 숙제를 개학이 되고 시작하면
늦을까 봐 아이가 찾아온 걸까.

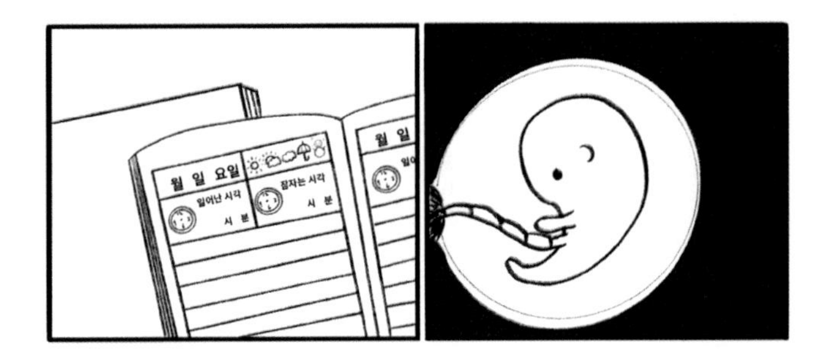


결혼한 지 6개월이 됐을 무렵, 아이가 생겼다.

# 임신 소식 알리기

주변 사람들에게 임신 소식을 알리기 시작했다.

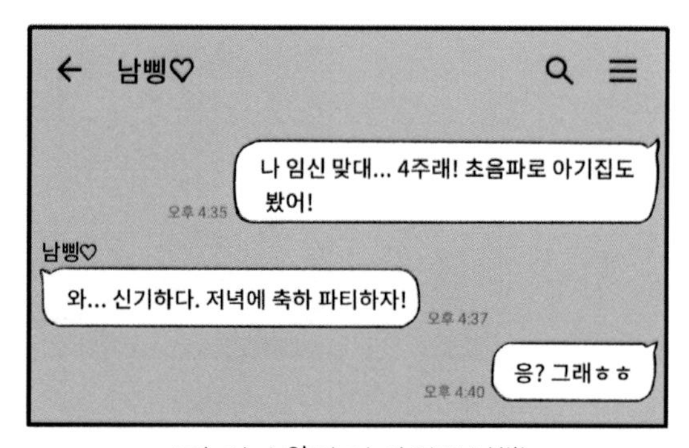


가장 먼저 알린 건 당연히 남삥.

새벽에 멍했던 남삥은 저녁에는 환한 표정으로
불안해하는 나를 다독여줬다.

어떤 아이가 태어날지, 어떤 부모가 될지는 모르지만,
남삥과 함께면 괜찮을 것 같았다.

양가 부모님께는 남삥이 전화로 알려드렸다.

모두 기뻐하셨는데,

친정 아빠만 반응이 무덤덤하셨다.

하지만 아빠는 내가 임신한 걸 별로 신경 안 쓴다고

생각했는데, 손주가 태어나자 손주 바보가 되셨다.

친구들한테 이야기를 꺼내면

신기하게 운 만 띄어도 임신인 걸 알아챘다.

회사에서는 팀장님께 제일 먼저 말씀드렸다.

일을 그만둔다고 말하는 게 아닌데,

아이를 가진 것만으로도 내 책임을 다하지
못하는 것 같아 나도 모르게 눈물이 나왔다.

차엠쌤! 너무 잘 됐어요!
좋은 소식인데 왜 울어요~
저도 모르게 눈물이 나오네요.
그냥... 일도 계속할 수 있을지 걱정도 되고
왠지 모르게 죄송해서요.

쌤! 잘 할 수 있을 거예요.
너무 걱정하지 말아요!
네... 감사합니다.


임신하고 일에 지장이 없을지
일과 육아를 병행할 수 있을지 걱정이 앞섰지만
팀장님의 응원이 큰 위안이 되었다.

임신 소식을 알리니
많은 사람들에게
축하를 받았고


불러가는 배만큼 아이의 존재는 선명해졌다.

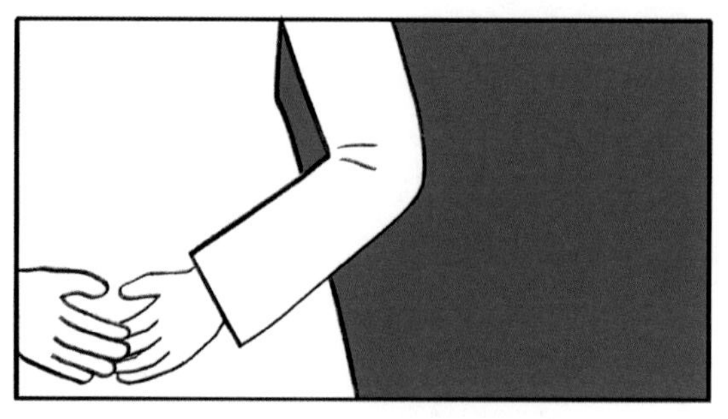

처음 아이의 존재를 알았을 때
축하를 가장 망설인 건 바로 나였다.

다행히 혼란스러웠던 감정이 행복으로 바뀌는 건
오래 걸리지 않았다.

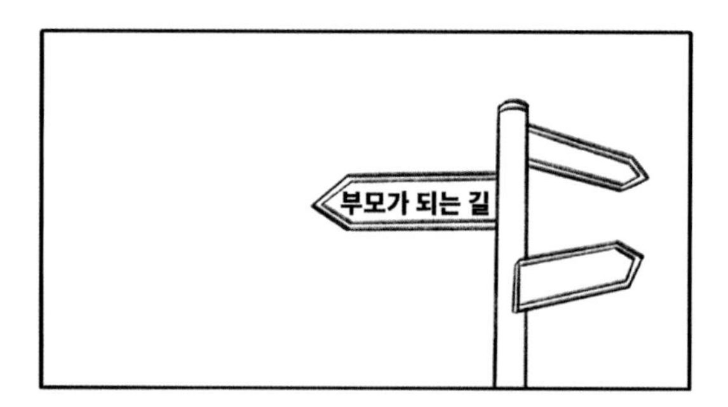


돌이켜보면, 갑자기 아이가 찾아온 건
우유부단한 엄마 아빠가 나중에 길을 잃지 않게
방향을 잡아준 걸지도 모르겠다.

# 초음파 보러 가는 날

어린왕자에 나오는 여우의 대사처럼

아이의 존재를 알게 된 후

산부인과 검진일을 손꼽아 기다렸다.

한 몸을 쓰고 있지만, 직접 볼 수 없는 아이의 존재를

유일하게 눈으로 확인할 수 있는 날.

임신 확인차 갔던 병원은 직장 근처의 작은 산부인과였다.

6주 때 심장소리를 듣고, 임신확인서를 받은 뒤
집 근처 분만 가능한 산부인과로 옮겼다.

특별한 일이 없으면 토요일 오전에 남삥과 함께 진료를 받으러 갔다.
주말 아침에 늦잠을 포기해도 아쉽지 않을 만큼
아이를 만나러 가는 길은 항상 설렘으로 가득 찼다.

예약하고 가도 산부인과 대기시간은 대부분 길었다.
내 차례를 기다리며, 사람들을 슬쩍 관찰하기도 했다.

혼자 온 사람, 동반인과 온 사람, 첫째 아이와 같이 온 가족...

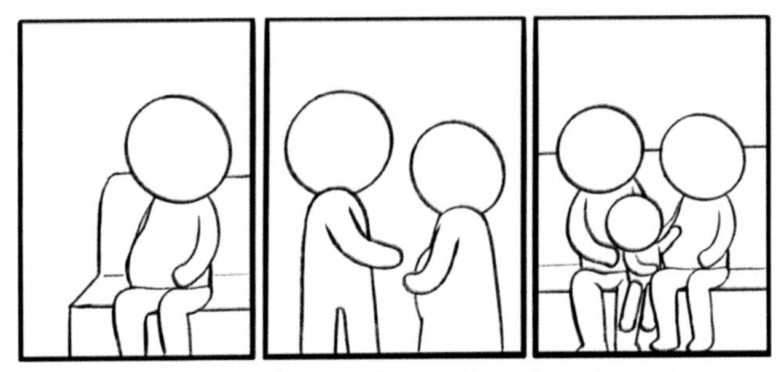

산부인과에 일반 진료를 보러 온 사람도 있겠지만,

배가 부른 산모를 보면 남몰래 동지애도 느꼈다.

대기시간보다 진료 시간은 언제나 짧았다.

잘 크고 있는지, 뭘 하는지 눈에 밟혀서

병원에 자주 오고 싶었다.

검진이 끝나면 주로 근처 카페나 식당에 들러서
초음파 사진과 동영상을 보면서 데이트를 했다.

어느새 우리 둘 사이에
아이의 존재가 서서히 스며들었고,

배 속의 아이가
나를 엄마로 조금씩 길들이고 있었다.

# 업무분장

직장에 임신 사실을 알린 지 한 달 뒤에
업무가 재배치됐다.

나는 나중에 출산휴가에 들어가야 해서
기존에 맡았던 일은 다른 팀원에게 넘어갔고,
나는 다른 업무를 맡게 됐다.

준비하던 일이 무산되니 허무했고,
내 일을 다른 사람에게 떠넘긴 것 같아서 미안했다.

새로 맡은 일은 비교적 단순한 업무여서
몸은 편했지만, 마음이 불편했다.

일을 열심히 하는 팀원이었는데, 갑자기 무능해진 느낌이 들었다.

차엠쌤 임신해서 1박 2일 행사는 참여하면 안 될 거 같아요.

업무가 재배치되기 전에 준비하던 일 중에서

1박 2일 행사가 있었다.

팀장님, 행사 진행하는 날 16주가 돼서 안정기인데 가면 안 될까요? 열심히 준비했는데 당일에 못 가니 아쉬워서요.
쌤, 열심히 하려는 건 좋은데, 임신했으니 조심해야죠. 안 될 것 같아요.

행사 참여는 못 해도 준비는 같이했다.
그런데 행사 전날에 갑자기 팀장님이 일정을
변경해야 한다고 말씀에 이상하게 화가 났다.

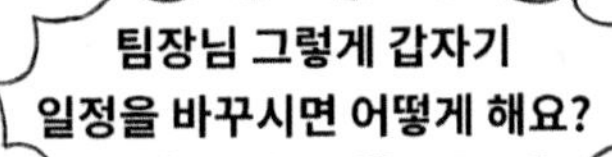

아니, 쌤도 처음에 괜찮다고 한 거 아니에요?
처음부터 확실히 말했어야죠.

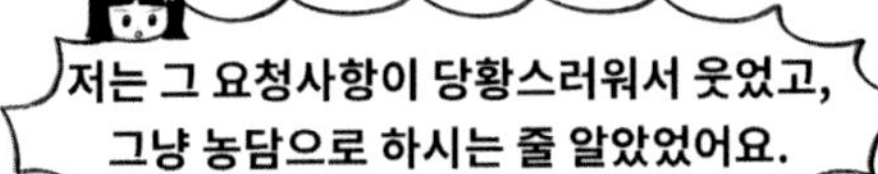

저는 그 요청사항이 당황스러워서 웃었고,
그냥 농담으로 하시는 줄 알았었어요.

농담이라니요...? 저는 이렇게 바꾸는 게
더 좋다고 생각해서 제안 한 거였어요!

...
...
아... 저기... 제가 일정 조정하면 되니깐
두 분 다 진정하세요...

하아... 내가 왜 이렇게 예민하게 굴었지...
아니 너무
갑작스럽긴 했지만...
내가 참여한는 것도 아니고, 팀장님은 생각해서
이야기해주신 건데 예의 없이 화를 내다니...

팀장님... 제가 처음에 확실히 의사 표현도
안 하고, 팀장님께 화를 냈네요.
정말 죄송합니다.
쌤 괜찮아요. 일 마무리 됐으면 시간이
늦었으니 퇴근하세요.

내가 왜 그랬지...? 왜이리 화가 난 걸까.
다른 사람한테 소리 지르다니...
그것도 상사한테... 미쳤어...

팀장님은 항상 팀원을
배려해 주시는
좋은 상사였다.
그런 팀장님께 소리를
지르다니 자괴감이 들었다.

다녀왔습니다...
왔어? 오늘 많이 늦었네.
표정이 안 좋은데 무슨 일 있었어?

팀장님께 다시 사과의 문자를 보내고

남삥의 위로를 받고,
복잡한 마음을 추스르며 겨우 잠이 들었다.

애초에 '내 일'이란 게 있었을까.
난 그저 기관에 소속되어 일하는 일개 팀원일 뿐이었는데.

내가 나가도 누군가 내 자리를
금세 메꿀 수 있다는 건 알고 있다.

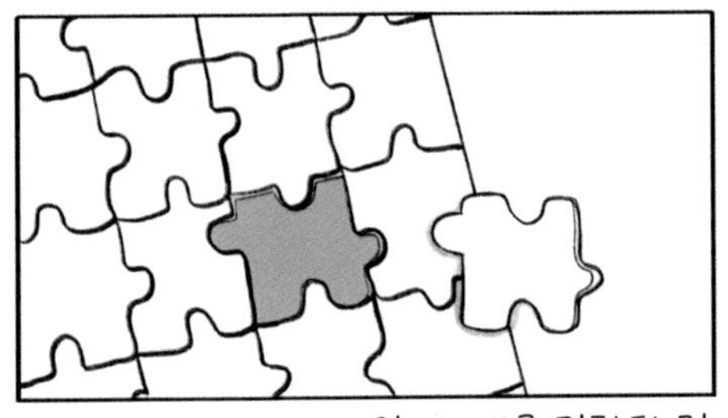

기회가 되면 이직을
할 생각이었고,
마음속에는 사직서를
품고 있었는데,

왜 일에 이토록 집착한 걸까.

임신으로 신체적인 변화도 낯설었지만,
내가 맡은 일에도 갑자기 큰 변화가 생기는 것도
받아들이기 힘들었다.

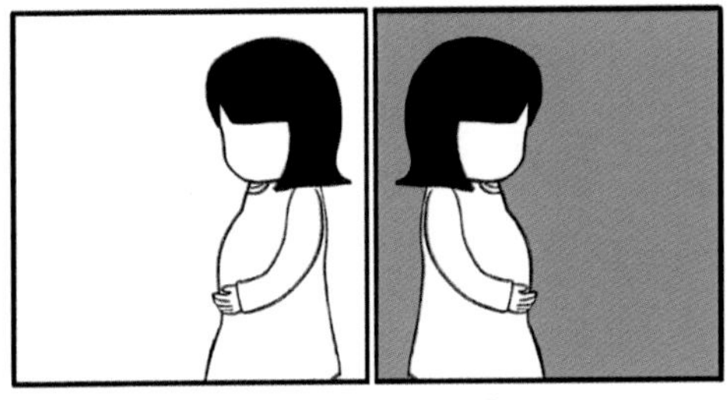

임산부여도 그전과 똑같이
1인분의 일을 해내고 싶었던 건 욕심이었을까?

출산휴가나 육아휴직을 마음 편히 쓸 수 없는 직장도 여전히 존재하고,

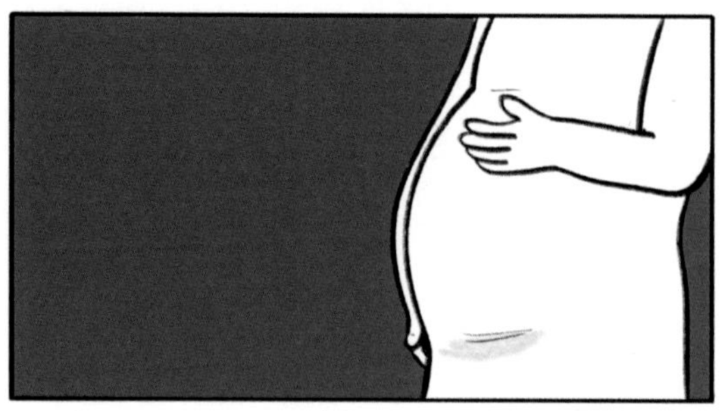

임산부인데도 무리해서 일을 시키는 곳도 여전히 존재한다.

임신하면 주변 사람들이 많이 축하해 주지만
임신한 직원을 반기는 직장은 많지 않을 것이다.

그런 보이지 않는 시선 속에서 임산부지만 보살핌을
받는 존재가 아닌 원래의 나로 존재하고 싶었다.

임신해서 체력이 예전 같지 않네. 다른 사람들한테
괜히 민폐 끼치는 것 같고.. 이럴 바엔 그만둘까?
울
렁
아니야, 그래도 조금만 더 있으면
출산휴가랑 육아휴직 쓸 수 있는데 조금만 버텨보자.

휴직하기 전까지 일을 그만둘지 말지 계속 고민했지만,
묵묵히 맡은 일을 마무리 짓고 출산휴가에 들어갔다.

조금은 힘을 빼고 일해도 됐을 텐데,
직장에서 배려해 주면 감사하게 느끼면 됐을텐데...

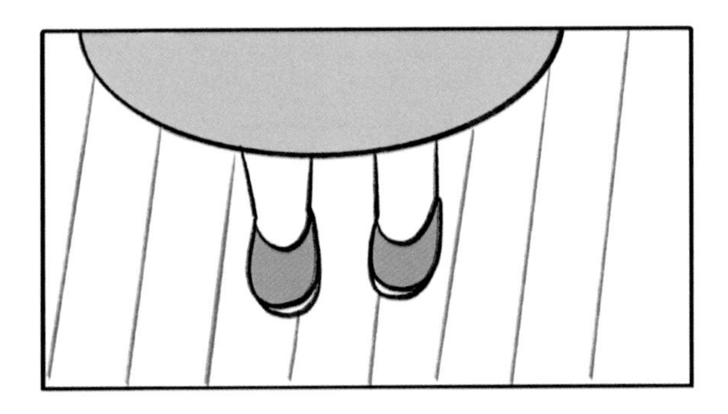

임신 기간은 길어야 10개월.
평생 임산부로 사는 게 아닌데 발을 동동 굴렀던
그 시절이 아쉬움으로 남는다.

# 엄마들의 공감대

임신하고 일하면서 힘든 점만 이야기한 거 같지만,
임산부로 일하게 돼서 좋았던 점도 많았다.

나는 시각장애인복지관에 있는
점자도서관에서 일했는데,
주로 만나는 이용자가
시각장애인 아동과 학부모였다.

평소에는 인사만 하던 학부모들이
자신의 임신과 출산에 대한 경험담을 털어놓기도 했다.

[수박 수영장], 안녕달, 창비

내가 맡았던 일 중에
점자 동화책(라벨 도서)을
만드는 일이 있었다.

*묵자도서 위에 점자가 출력된 투명한 라벨지를 붙여서 시각장애인과
비시각장애인이 함께 볼 수 있는 도서를 만드는 작업이다.

*시각장애인을 위한 점자 도서가 아닌, 먹으로 인쇄된 활자 책을 일컫는 말

자원봉사자 교육을 해서
점자 동화책을 제작했는데,
자원봉사자 중에서
근처 중학교 학부모와 자녀가
함께 봉사하는 그룹이 있었다.

안녕하세요. 자원봉사자 교육을 맡은 차엠이라고 합니다.
저도 임신해서 엄마가 될 예정이라서 이 시간이 더 뜻깊은데요.
점자교실

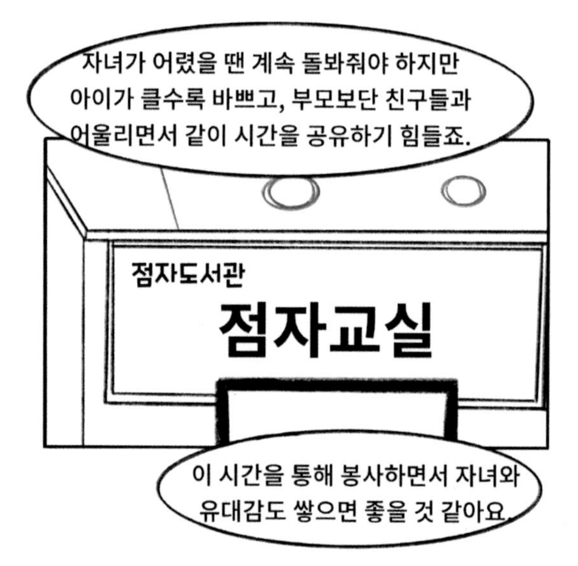
자녀가 어렸을 땐 계속 돌봐줘야 하지만 아이가 클수록 바쁘고, 부모보단 친구들과 어울리면서 같이 시간을 공유하기 힘들죠.
점자도서관
점자교실
이 시간을 통해 봉사하면서 자녀와 유대감도 쌓으면 좋을 것 같아요.

첫 시간이니 간단하게
자기소개를 할건데요.
감정 카드를 뽑고, 카드에 대한 느낀 점과
자기소개도 간단히 해주세요!

저는 **'경이로움'**이라는 카드를 뽑았는데요.
아이를 가졌을 때 경이로웠어요. 아기를 간절히
바랐는데, 몇 년 동안 안 생겨서 고생했거든요.
흔훈~
쑥스
그러다 아기가 생겼을 때 정말 행복했어요.
지금 그 아이가 제 옆에 있네요.

나도 나중에 내 아이랑 봉사활동나
뭔가 같이 하면 좋겠다.
흐뭇~
열심


엄마와 아이들이 있는
모습을 보면서
내 미래를
상상하기도 했다.

일이 태교가 되다니
처음엔 말도 안 된다고
생각했다.
태교란 스트레스
없이 지내야 하는데,
아무리 좋은 일이라도
자연스럽게 스트레스를
동반하니까.

그러나 일이 힘들기도 했지만,
이용자나 봉사자들이
좋아하는 모습을 보면
보람을 느꼈다.

일하면서 그림책을 많이 봐서 태교도 저절로 된 느낌.

시각장애인 자녀를 둔 엄마,

아이와 자원봉사를 하러 온 엄마, 자녀를 키우는 직장동료.

각자 다른 삶을 살지만, 모두 아이를 둔 엄마라는 공통점이 있었다.

임신한 게 티 나자, 갑자기 다른 엄마들의 관심을 받았다

처음엔 부담스러웠지만,

점점 마음이 따뜻해졌다. 그녀들의 진심이 듬뿍 느껴졌기에.

이미 아이를 낳은 지
10년이 훌쩍 지난 사람도
그때의 경험과 감정을
말해주었는데,


어떻게 세세하게 기억하나 싶었다.

내가 엄마가 되니 임산과 출산은 인생에서 잊을 수 없는 경험이었다.

순산하라는 응원과 출산 후기도 많이 들어서
출산도 잘할 수 있을 거란 자신감도 생겼다.

선배 엄마들이 이제 엄마의 세계로 발을 내디디려는
내게 해준 이야기가
나중에 아이를 낳고 키우면서도 큰 힘이 되었다.

나도 그 경험담을 나누며 예비 엄마들을 응원해 주고 싶다.

# 임산부는 어디 앉나요

임신하고 가장 힘들었던 건 출퇴근이었다. 경기도에서 서울로 직장을 다녔던 나는 왕복 3시간을 길에서 보냈다.

임신 전에도 출퇴근이 힘들었지만, 임신하고선 항상 눈치 게임을 하는 기분이었다.

임신 초기에 나는 입덧도 심하지 않았고,

임산부라는 걸 알리는 게 쑥스러워서 임산부 배려석이 비어있어도 쉽사리 앉지 못했다.

그런데 갈색 피가 몇 번 나오고 급격히 피로해지기 시작했다.

병원에서 검사해 보니 다행히 유산기가 있는 건 아니었지만,

최대한 조심해야 한다고 했다.

몸조심하지 않는 엄마에게 배 속에 있는 아이가 경고 메시지를 보낸 걸까?

임산부임을 자각하고, 내 몸을 챙기리라 다짐했다.

출퇴근 시간에 계속 서서 가는 게 문제 같았다.

임신 초기 땐 티가 나지 않기 때문에 작은 배려를 바라며,

임산부 배지를 가방에 달았다.

처음 배지를 꺼낼 때 왠지 어색하고 쑥스러웠다.

배지를 꺼내면 주목받을까 봐 조심스러웠던

내 마음이 무색하게 대부분 신경도 안 썼다.

사람들은 스마트폰에 빠져 있거나 잠들어 있었다.

항상 바쁘고 피곤한 현대인들은 앞에

누가 서 있는지 신경 쓸 겨를이 없어 보였다.

그 삭막함에 피로가 더 몰려왔다.

왜 항상 임산부가 아닌 사람이 앉아있지...?

내 자리라고 쓰여 있는 건 아니지만, 지하철을 타면 임산부 배려석을 찾기 시작했다.

출근 시간을 조금 앞당겨 사람이 붐비지 않을 때 나왔지만 여전히 앉을 순 없었다.
몸이 점점 피곤해져서 계속 서서 가는 게 너무 힘들었다.

유일하게 자리가 있는 곳은 노약자석.
아니, 교통약자석이었는데,

처음엔 눈치가 보였지만 나와 아이를 위해 슬쩍 앉아서 갔다.
어르신들 옆에 앉아 있는 게 어색했지만, 차츰 익숙해졌다.

그런데 임신 8개월 차
였을 때, 어떤 할머니가
나보고 노약자석에
앉아있으니 계속
비켜달라고 하셨다.

내 목소리가 들리지
않으신지 할머니는 계속
소리치셨고,

큰 언쟁을 하고 싶지
않았던 나는 결국
일어났다.

사실 노약자석에서
봉변을 당한 건
이번이 처음이 아니었다.

젊은 사람이 노약자석에 앉았다는 이유로 색안경을 끼고 화내는 사람들.
다른 사람의 도움으로 자리는 지킬 수 있었지만, 가시방석이었다.

임산부가 노약자석에
앉았다고
심한 폭언과 폭행을
당했다는 뉴스를 봤었는데,
그에 비하면 나는
운이 좋았던 걸까.

어쩌다 한 번 자리를 양보 받으면 기분이 좋았고,
세상이 아직 따뜻하다고 느꼈지만
자리에 앉지 못하거나 임산부가 노약자석에 앉아 있다고
뭐라고 하시는 분들을 만나면 우울했다.

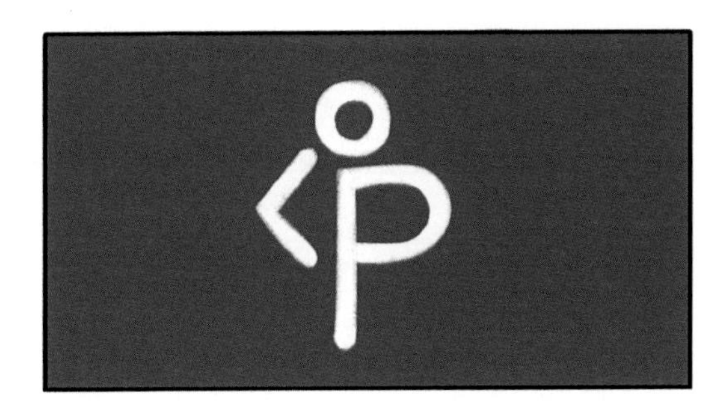

이렇게 자리 하나에 연연해하는 내가 싫었지만,
그 시절엔 어쩔 수 없었다.
몸도 예전 같지 않고, 작은 것에도 기쁘고, 힘들어하는
호르몬의 노예인 임산부였다.

이제 출퇴근길 눈치 게임도
끝나는구나.

출산휴가를 쓰고
마지막으로 퇴근하던 날.
일하는 것보다 훨씬 힘들었던
출퇴근을 그만할 수 있어서
안도했다.

앉으세요.

예전에 나도 대중교통을 이용할 때,
앉으면 일어나고 싶지 않아서 다른 사람들을 신경 안 쓸 때가 많았다.
자리를 양보해도 어르신들한테만 양보했었다.

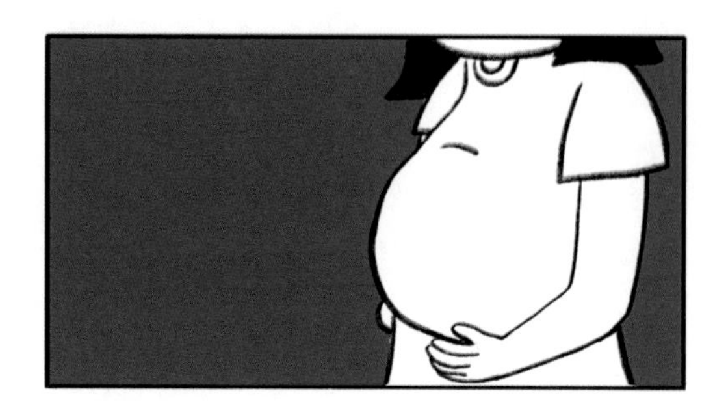

임산부가 대중교통을 이용하는 게 얼마나 힘들었는지 알지 못했다.
어쩌면 나도 누군가에게 배려심 없는 사람이었을지도 모른다.

임신 기간 중에 안정기란 없다.

나는 임신 중에 몸 상태가 좋은 편이라 일상생활에
큰 무리가 없는데도 불구하고,
막달까지 유산 혹은 조산할까 봐 불안했다.

280일, 10개월. 그 시간 동안
임산부가 무사히 지낼 수 있도록 조금만 이해하고,
배려하는 문화가 생기면 좋겠다.

2019년에 블로그에 올렸던 웹툰인데 내용을 각색해 다시 그렸습니다. 생각하지도 못했는데, 포털사이트 메인에 노출되면서 많은 분들이 봐주시고, 댓글도 많이 달리고 공감도 많이 얻었습니다.

그런데 임산부 배려석 자체를 혐오하는 댓글, 자리를 비워놓는 걸 반대하는 댓글, 배지를 보여주면서 비켜 달라고 하면 되지 왜 배려 받기를 기다리냐는 댓글도 있었습니다. 저는 임산부 시절(2017년)에 사람들이 임산부 배려석 자체를 잘 몰라서 자리를 비키지 않는다고 생각했었어요. 임산부 배려석이 이렇게 논란이 많았는지 만화를 그리고 알게 되었어요.

2013년 서울시가 지하철 내 임산부 배려석을 도입한 이후 여전히 임산부 배려석에 대한 논쟁은 끊이지 않고 있습니다. 임산부 배려석을 눈에 띄게 할수록 이상하게 논란이 더 부각되는 것 같아요. 요즘은 배려석에 앉는 사람을 너무 매도하는 시선, 임산부 배려석에 관한 민원이 증가하고 있다고 하더군요.

사실 저도 배지를 보여주며 비켜달라고 얘기해볼까 생각한 적도 있었지만, 혹시라도 해코지를 당하지 않을까 무섭기도 하고 배려를 강요하는 건 아닌 것 같아서 그냥 서 있을 수밖에 없었습니다. 임산부석이 아닌 임산부 '배려석'이라는 이름의 애매한 자리니까요.

그러나 임산부에겐 작은 배려가 절실합니다. 임신했는데 대중교통을 타고 싶지 않아도 어쩔 수 없이 타야 하는 저 같은 사람이 있으니까요. 아무리 컨디션이 좋은 임산부도 아이를 갖기 전과는 몸이 확연히 달라집니다. 임신하고 누워서만 생활해야 하는 경우도 있고, 건강했는데 갑자기 자궁수축이 오거나 몸이 안 좋아지는 경우도 많아서 항상 조심해야 합니다.

교통 약자에게 누구나 기꺼이 자리를 양보해 주는 문화가 있다면 이런 논란이 계속 일어나진 않을 거예요. 그러나 자리에 앉으면 쉽게 자리를 양보할 수 없으니(저도 앉으면 일어나기 싫더라고요.) 교통약자석이 생겼고, 임산부 배려석이 생긴 건데 이 논란이 언제까지 계속될지 답답하네요.

아마 제 만화를 봐도 여전히 임산부 배려석 없어져라, 임산부가 알아서 해야 한다는 식의 댓글이 달릴 수도 있을 것 같아요. 보는 사람이 없어서 조용히 묻힐 수도 있고요. 어차피 제가 어떤 논리를 펼쳐도 모든 사람을 설득할 수는 없을 겁니다. 다만, 제가 임신했을 때 대중교통을 이용하면서 힘들었던 점을 알리고 싶었습니다.

대중교통을 탈 때 임산부뿐만 아니라 교통약자들이 불편을 겪지 않길 희망합니다. 원래 임산부였던 사람은 없었고, 평생 임산부로 지내는 사람도 없습니다.

10개월, 아이를 품는 중요한 기간에 조금만 따스한 눈으로 바라봐 주면 좋겠습니다.

# 아이를 기다리며

아침 6시 30분.
알람이 울린 것도 아닌데
몸은 기상 시간을
기억하는지 눈이 떠졌다.

다시 잠을 청할까 하다가 일어나서 오늘 뭘 할지 고민을 했다.

더 이상 출근을 하지 않는다.
온전한 하루가
나에게 주어졌다.

직장에 나보다 두 달 일찍 임신한 다른 부서 직원은
출산 예정일 일주일 전까지 일하다가
양수가 터져서 급히 병원으로 가서 아이를 낳았다고 한다.

나는 막판까지 일할 자신이 없었다. 출퇴근이 힘들고,
아이를 낳기 전 혼자만의 시간이 절실했다.
6월 마지막 주에 연차를 5일 내고 연달아 출산휴가를 냈다.

예정일까진
한 달 정도 남았다.
홀로 여행을
가고 싶었지만,

언제 나올지 모르는 아이를 품은 막달의 임산부는
시한폭탄을 안고 다니는 것 같아서 멀리 갈 순 없었다.

우선 밖으로 나갔다. 몸을 움직이고 싶었다.
아침 7시에 나와서 한 시간 정도 집 주변을 걸었다.
산만한 배를 내밀고 씩씩하게.

여름 햇볕은 아침 9시만 돼도 뜨거웠고,
집으로 돌아올 무렵이면 나는 금세 지쳤다.

7월부터는 아침에
걷기 대신 산부인과 안에
있는 문화센터에서
요가를 다녔다.

**7월 문화센터 일정**

| 일 | 월 | 화 | 수 | 목 | 금 | 토 |
|---|---|---|---|---|---|---|
| | | | | | | 1 |
| 2 | 3 요가A (AM 10:00) | 4 요가B (AM 10:00) | 5 | 6 요가A (AM 10:00) | 7 요가B (AM 10:00) | 8 |
| 9 | 10요가A (AM 10:00) | 11요가B (AM 10:00) | 12 | 13요가A (AM 10:00) | 14요가B (AM 10:00) | 15 |
| 16 | 17 | 18 | 19 | 20 | 21 | 22 |

출근이 싫었지만, 막상 갈 곳이 없으니 어색했던 하루에
주기적으로 갈 수 있는 곳이 생기니 안정감이 생겼다.

배 나온 임산부들이 다 같이 몸을 낑낑거리며,
접었다 폈다 하는 모습이 재밌었다.
힘들어서 속으로만 웃었지만.

집에 오는 길에는 먹고 싶은 메뉴를 골라
식당에서 느긋하게 혼자 밥을 먹거나
간단하게 집에서 식사했다.

집으로 돌아와선 피곤하면 낮잠을 자기도 하고, 집안일을 하기도 했다.
임신하고서는 남삐이 대부분 집안일을 도맡았었는데,
시간적 여유가 생기고 집에 오래 머무르니 자연스럽게 손과 몸이 움직였다.

집에 있는 게 답답할 땐
밖으로 나갔다.
도서관에서 빌린 책을
들고 집 근처 카페로 갔다.

차가운 에어컨 바람이 나오는 카페에서
디카페인 커피나 과일주스를 마시며
책을 읽는 순간의 여유가 좋았다.

남삥이 저녁에 오면 손수 저녁상을 차려서 함께 대화하며
밥을 먹고 싶었지만, 하필이면 남삥이 바쁜 시기와 내 출산휴가
기간이 겹쳐서 남삥은 주말도 없이 매일 야근했다.

한참 남삥이 바쁠 때 아이가 나올까 봐 노심초사했다.
아빠가 바쁜 걸 알았는지 아이는 예정일이 지나도 나올 기미가 없었다.
남삥이 준비하는 프로젝트가 끝나고, 유도 분만 날짜를 잡았다.

그렇게 한 달이 흘렀다.
대부분의 시간을 홀로 보냈지만,
아이가 배를 팡팡 치며 자신의 존재를 수시로 알렸다.
혼자지만, 혼자가 아니었던 나날.

남삥은 내가 유도 분만하러 가기 전날에 연차를 썼다.
거의 한 달 만에 함께 느긋하게 시간을 보냈다.

둘만의 시간을 향유한 공간에 아이가 오면 어떤 형태로 바뀔까?
우리 둘 사이에 아이는 자연스러운 풍경으로 함께할까?

아이가 크면 말해주리라.
너를 기다리던 시간이 얼마나 설렘으로 가득했는지.
연인에서 부부가 된 우리는 이제 부모가 되려고 한다.

# 안녕, 아가야

오늘은 처음으로 아이를 만나기로 한 날.
남삥과 나는 아침 일찍 병원으로 향했다.

유도분만 준비를 마친 뒤,
분만대기실에서 촉진제를 맞으며 나는 서서히 진통을 느꼈다.

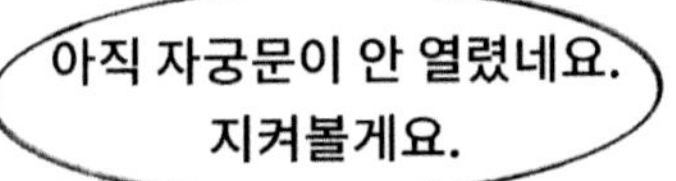

부인과에서 남삥과
함께 부모교육을 들었다.
자연분만의 중요성을
엄청나게 강조했던.

자연분만을 해야
아이의 면역력이 좋아지고,
아이도 스트레스를
덜 받는다는 말에

임신 내내 아이를 힘주어 낳겠다는 의지가 충만했다.

내진을 하고 수술을 권유한
간호사가 다름 아닌
자연분만을 강조한
강사였다.

그 사람이 단호하게 수술을 권하니 주르륵 눈물이 났다.

자연분만한다고 고집을 부리다 1박 2일 진통하고 결국 수술을 했다는
후기가 떠올라서 유도분만을 시작한 지 3시간 만에 수술하기로 했다.

움찔
산모님 마취할 때 움직이시면 안 돼요.
너무 긴장하신 것 같은데...

수술실에 들어가서도 이상하게 눈물이 멈추질 않았고,
놀란 내가 움찔거려 마취에 실패했다.

간호사가 위로의 말과 함께
손을 꼭 잡아주셔서 겨우 마음을
진정시킬 수 있었다.
두 번째 마취는 성공했다.

마취해서 아무 느낌이 안 날 줄 알았는데
살짝 따끔거리네? 기분이 이상해.

수술이 시작되었다.

하반신은 감각이 둔해졌지만, 정신은 온전한 상태로.

헉! 애 꺼냈나 봐!?

아이를 꺼낼 때 감각은

확연히 느껴졌다.

아이가 한 번에

안 꺼내져서 몇 번 덜컹거리다

쑤욱 뽑혀 나갔다.

산모님 아이 건강하게 태어났어요.

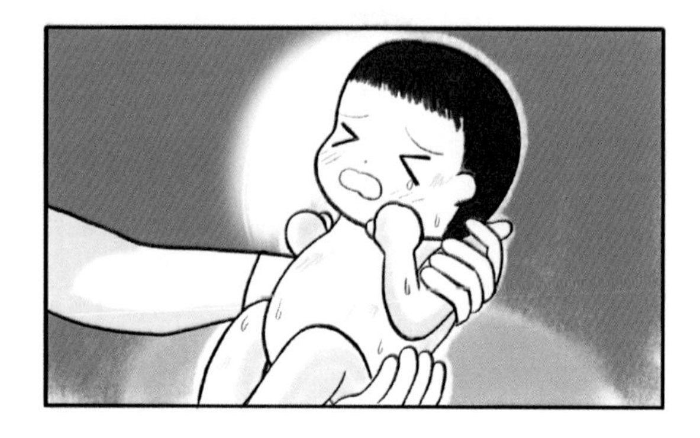

아이를 보면 감동의 물결이 흐르고 첫눈에 반할 줄 알았는데,
내 배에서 나온 눈앞의 아기는 낯설고 어색했다.

얼떨떨했지만,
이제 임신이
끝났다고 생각하니
홀가분해졌다.

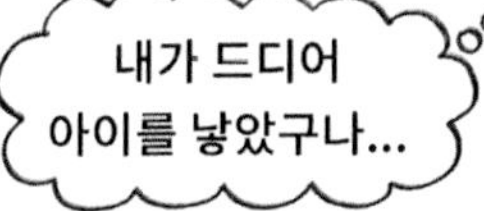

자연분만하면 날아갈 듯이 시원하다는 경험을 못 한 아쉬움이 들었다.
좋은 엄마의 첫 관문 통과를 실패한 것 같은
감정의 찌꺼기가 남아 있기도 했다.

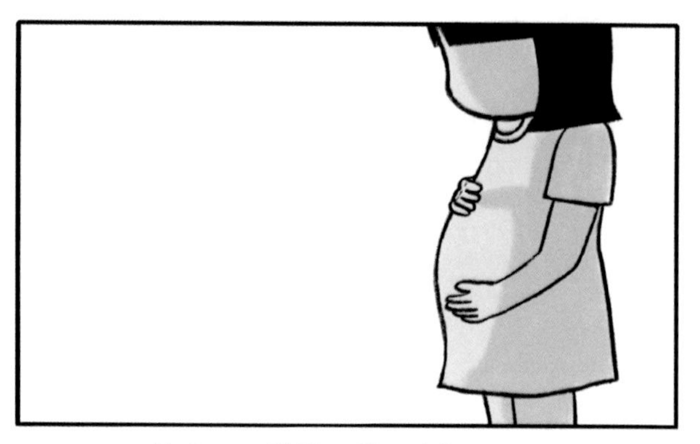

아이를 무사히 열 달간 품고 낳은 것만으로도
모체의 역할을 충분히 완수했다.
지금은 아이가 잘 자라줘서 감사할 뿐.

자연분만은 의지만 있다고 되는 게 아니었다.
엄마와 아이의 상태가 맞아떨어져야 가능하다.

엄마 배 속에 더 있고 싶었는지

나올 기미가 없던 아이를 드디어 만났다.

이제부터가 우리 이야기의 시작이다.

# 2장
# 초보엄마 경력

# 아기가 집에 왔다

병원에서 5박 6일, 조리원에서 13박 14일을 보내고
집으로 돌아가는 날.

당시 차가 없던 우리 부부는 아버님 차를 타고 집으로 갔다.

얘들아 늦어서 미안하다. 아기 태워야
하니 세차 깨끗이 하느라 좀 늦었다.
끼익

아버님 차 깨끗하네요~
저희 태워주셔서 감사드려요.
우리 손주 모셔가는 건데
당연히 와야지!
너네 시아버지 세차 너무 열심히
하셔서 허리까지 아프시대.

아이고 예뻐~
우리 공주♡
찰칵
찰칵
왜 이리 예뻐~ 사진보다
실물이 더 예쁜 거 같아!


집에 도착해서
어머님 아버님은
손녀딸을
처음 안아보셨다.

연기 때문인지
한참을 칭얼 거리던
아기는 피곤했는지
3시간을 내리 잤다.

애가 계속 자네~ 깨 있는 모습 또 보고 싶었는데,
그럼 우리는 이제 갈게.
애기 잘 때 쉬고,
내일 보자!
산후조리 도와주시기로 함
안녕히 가세요!

근데 반지 너무 자는 거 같은데... 괜찮나?
밥 먹을 시간 지난 거 같아.
깨워서 좀
먹여보자.

에고 애 젖 한쪽만 먹었는데
잠들어버렸네.
환경 바뀌어서 피곤한가?
우선 좀 자게 놔둬야 하나?
우선 반대편 유축 해놔야겠다.
일어나면 먹이자.

반지 오니 정신이 없네.
우선 우리도 자자
그래~ 반지가 밤에
잘 자면 좋겠다..

흠.. 젖 양쪽 다 먹었는데도
계속 칭얼 거리네
응애! 응애!
응애!
양이 좀 부족한가?
내가 분유 타올게~
분유 먹었는데도 우네.
배고픈 거 같진 않은데 왜 울지?
잘 안 먹네?
그러게... 낮에 너무 많이 자서
그런가? 갑자기 왜 이러지?
윽... 얘 똥 쌌나 봐!
오늘 똥 안 싸더니 속이
불편해서 울었나 봐!
응애!
응애!
쿠리
쿠리
잉? 근데 왜 설사같이 나왔지?
평소보다 좀 묽은 거 같은데...

응애! 응애!
애가 또 우네? 똥 싸서 배고픈가...?
아까 분유 얼마 안 먹더라. 내가 다시 타올게.

이제 잘 자겠지?
제발...

응애! 응애!
응애! 응애!
으... 왜 자꾸 울지..?
헐 토했네. 아까 분유 먹이고 트림 제대로 안 시켰나 봐

집에 온 첫날밤에
아기는 계속 칭얼거렸고,
우리는 한숨도
잠을 자지 못했다.

남삥은 비몽사몽한 상태로 출근했고,
나는 계속 우는 아이를 안고, 넋이 나간 채 어머님을 기다렸다.

다행히 어머님이 아기를 봐주시고 집안일도 해주셔서
낮에 쉴 수 있었다.

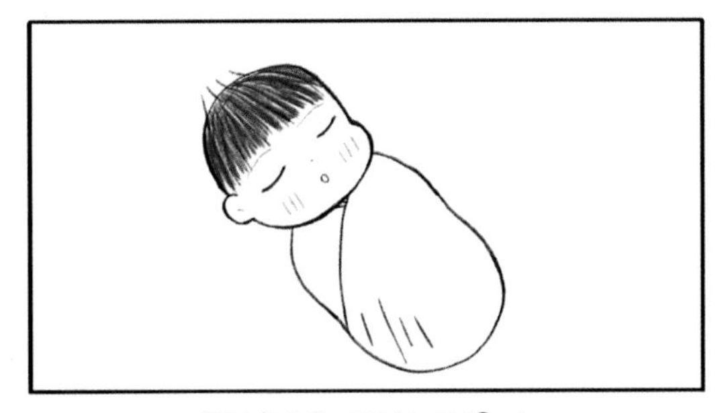

첫 날밤은 신고식이었을까.
둘째 날 밤은 좀 울긴 했지만 아기는 전날보다 잘 잤다.

어머님은 2주 넘게 산후조리를 도와주시다가
일을 다시 시작하셨고,
아기가 태어난 지 한 달이 지나고
나는 낮에 혼자 아기를 봤다.

아이와 하루하루는 비슷한 듯 달랐다.
어느 날은 온종일 보챘지만,
혼자서도 잘 놀고 잘 자서 크게 손이 가지 않는 날도 있었다.

아기를 어떻게 안아야 할지, 기저귀를 어떻게 갈아야 하는지,
젖은 어떻게 먹여야 하는지 몰랐던 초보 엄마 아빠였던 우리.

아기의 울음에 당황해서 우왕좌왕하기도 했지만,
세상을 다 얻은 듯한 행복이 아기의 미소 속에 있었다.

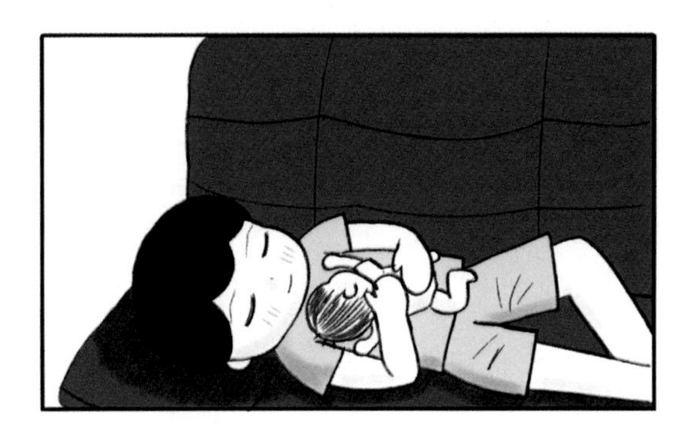

아기는 작지만, 거대한 존재감을 내뿜으며 온 집안을 꽉 채웠다.

울음소리, 숨결, 미소, 냄새로…

우리 집엔 아기가 산다.

# 모유 수유 분투기

복지관에 입사한 지 얼마 되지 않았을 때
팀장님은 하루에 두세 번 30분가량 자리를 비우시곤 하셨다.

나중에 알고 보니 모유 유축을 하시려고 자리를 비우신 거였다.

연초에 2박 3일로 워크숍을 갔었는데,
팀장님은 거기서도 틈틈이 유축을 하셨다.

모유 저장팩을 10개 이상을
채워서 집으로 들고
가셨던 걸 보고 놀란 게
기억이 남는다.

출산휴가 3개월만 쓰고 바로 복직해야 했던 팀장님은 유축해서 두 아이를
*완모하셨다. 같이 오랜 시간 있지 못하는 아이들에게
엄마로서 최선을 다하고 싶었다고 하셨다.

*분유를 먹이지 않고, 모유 수유로만 먹이는 것

두 아이를 먹여 키운
유축기의 기운을 받아서
나도 충분히 완모를
할 수 있을 것 같았다.

출산 전에 모유 수유 강좌를 듣고, 산모 수첩에 '38주 이후에 산전 유두 마사지, 유방 기저부 마사지로 모유 수유를 준비하면 좋다'라는 문구를 보고 산전 유두 마사지도 미리 받았다.

그런데 제왕절개로 아이를 낳아서일까?
병원에서 5박 6일간 입원 생활을 하면서 수유 시간마다 아이에게 젖을 주러 갔지만 초유가 거의 나오지 않았다.

조리원에서도 마찬가지였다.
모유가 조금씩 나오긴 했지만, 모유량이 항상 부족해서 분유 보충을 해야 했다.

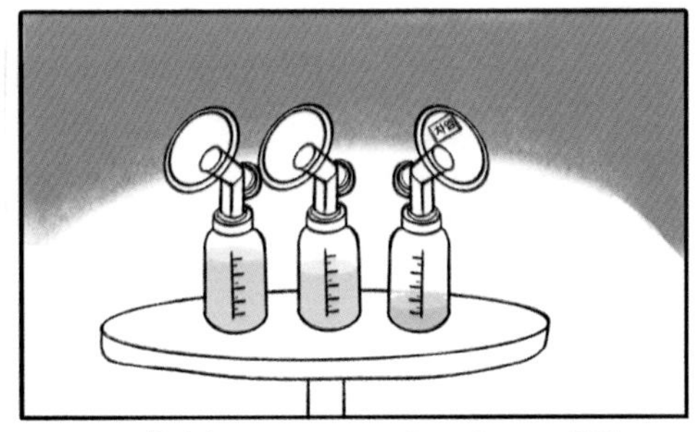


마사지를 받으러 가거나 산모 강좌가 있을 때
신생아실 앞에 유축모를 올려뒀다.
젖병을 가득 채운 유축모 옆에 바닥만
겨우 채운 내 모유는 초라해 보였다.

모유 수유 자체도 쉽지 않았다.
나도 젖을 먹이는 게 초보 엄마였지만,
이제 갓 태어난 아기도 젖을 빠는 데 서툴렀다.

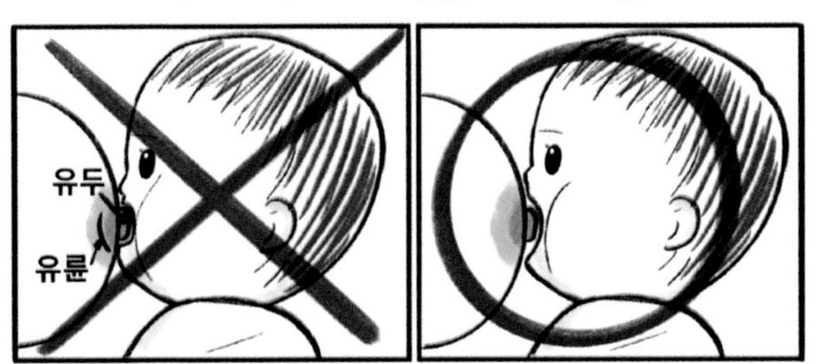


젖을 물릴 때 젖꼭지만 물리면 안 된다.
유두와 유륜을 함께 물 수 있도록 아기가 입을 크게 벌리고 빨아야 한다.

내가 젖꼭지를 내밀면 빠는 욕구가 강한 아기는 유두 부분만 힘껏 빨았다.
이도 없는 아기가 젖을 빠는데 너무 아팠다.

아기는 젖을 먹다가 자꾸 잠이 들었다.
양쪽 수유를 20분 내로 끝내야 좋다는데, 잠든 아기를 깨우고 먹이다 보면
수유 시간이 1시간을 훌쩍 넘기기도 했다.

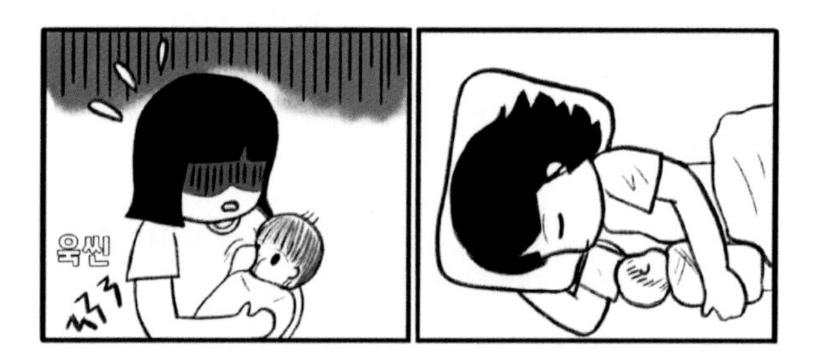


자세가 좋지 않았는지 모유 수유를 할 때 어깨와 허리가 너무 아팠는데,
누워서 수유해 보니 허리 통증이 없어서 편했다.

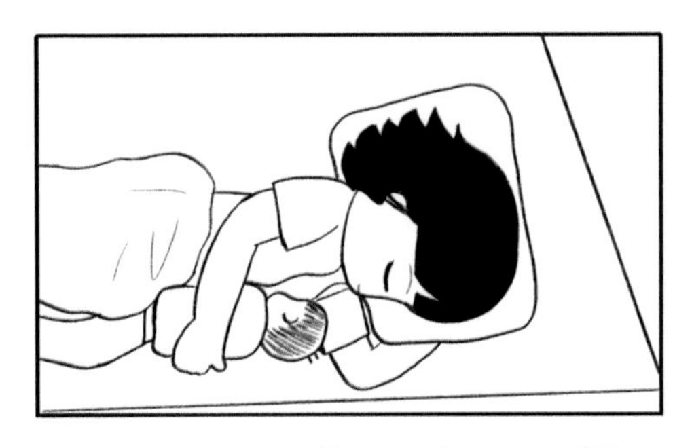

아이가 누워서 젖을 먹다가 귀로 들어가면 중이염에 걸릴 수도 있다는데,

다행히 아이가 괜찮아서 주로 누워서 수유했었다.

직수든 유축이든 많이 해야 젖양이 는다고 해서 직수를 주로 하고,

밤에 틈틈이 유축을 했다. 모유촉진차도 마셨다.

계속 노력한 덕분인지 차츰 모유량이 늘었다.

수유한 지 두 달이 될 무렵 아기는 모유만 먹고도 칭얼대지 않았다.

아기를 낳고 2개월~7개월은 완모를 했다.

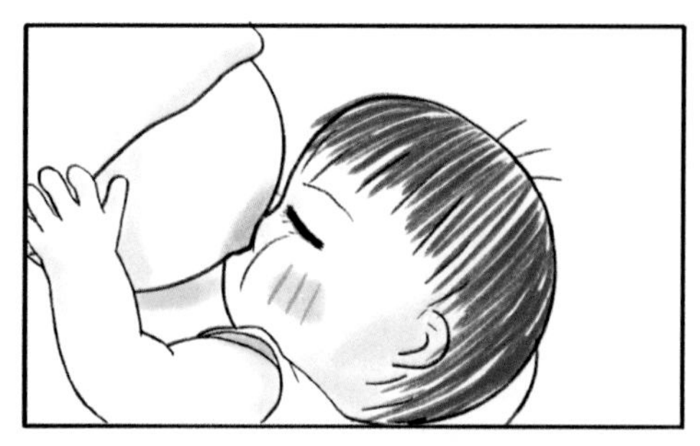

적응하니 모유 수유가 편했다.

아이와 호흡이 맞자 수유할 때 아프지 않았다.

분유를 타고 젖병을 닦는 번거로움이 없어서 좋았다.

그러나 봄이 되고, 7개월이 된 아기랑 외출을 자주 하면서

수유실이 없으면 모유 수유가 쉽지 않았다.

아이를 데리고 외식을 하다가 수유실이 없어서

화장실에서 먹인 적이 있다.

나도 불편했고, 아이도 엄청 칭얼거렸다.

그 뒤로 외출할 때는 분유를 챙겼다.

아이도 잘 먹고, 나도 훨씬 편했다.

혼합수유를 하다가 돌이 지나자 단유를 결심했다.

아이에게 곰돌이 단유법을 시도했다.

반지야. 배고픈 곰돌이가 있어서 엄마 찌찌를 먹어야 한대.
반지는 이제 많이 커서 밥도 먹을 수 있지? 찌찌 안녕하고 곰돌이 주자~
엄마가 반지한테 맛있는 밥 많이 줄게.

아이가 알아들었는지 확실하진 않았지만,

3일 동안 반복해서 이야기해 줬다.

낮에는 분유와 이유식을 주니 쉽게 젖을 뗐다. 그러나 밤이 문제였다.

밤수를 진작 끊었어야 했는데, 아이가 밤에 울면 달래다가

나도 지쳐서 젖을 먹여서 재우곤 했었다.

단유 하기로 한 날.

아기는 새벽 5시부터 젖을 달라고 칭얼거렸다.

스스로 진정되길 기다리다가 빨대컵으로 물을 줬다.

반지는 괜찮아지나 싶더니 다시 칭얼거려서 밥을 줬다.
배가 부르고 기분이 좋아졌는지 이른 아침부터 신나게 놀기 시작했다.

며칠 더 달래서 자연스럽게 단유했고, 밤수노 끊을 수 있었다.

혹시라도 가슴에 남아 있을 젖을 말리기 위해 단유 마사지를 받았다.
원래도 모유량이 적었고, 혼합수유를 해서
점점 줄어들고 있는 상태였는데
처음 마사지 받던 날, 내 가슴에서 모유가 뿜어져 나왔다.

3번 정도 마사지를 받자 젖이 더 나오지 않았다.
1년 동안 시간이 되면 내 가슴을 채우던 모유가 몸에서 사라졌다.

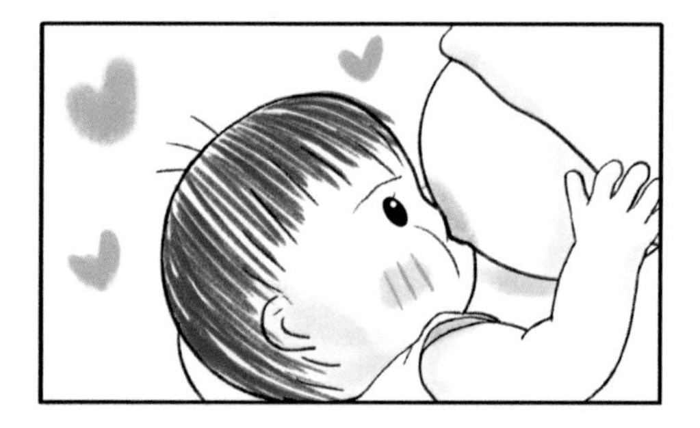

가슴에 착 달라붙어서 오물거리던 입과 빵빵하게 부풀었던 아기의 볼.
내 가슴을 꾹꾹 누르던 손. 젖을 먹다가 스르르 잠들던 아기의 모습.

이가 나기 시작하자 젖을 깨물면 내가 너무 아파서 혼냈을 때
억울한 듯 울먹이던 아이의 표정.

서로 밀착해 살을 비비던 그 순간이 좋았다.

출산 후 내 몸에서 떨어져 나간 아이와 다시 연결되는 기분.

단유를 하던 날, 내가 아쉬워서 눈물이 났었다.

1년간 모유 수유를 하면서 아기와 쌓은 둘만의 추억이 스쳐 지나갔다.

오히려 아기는 아무렇지도 않았는데.

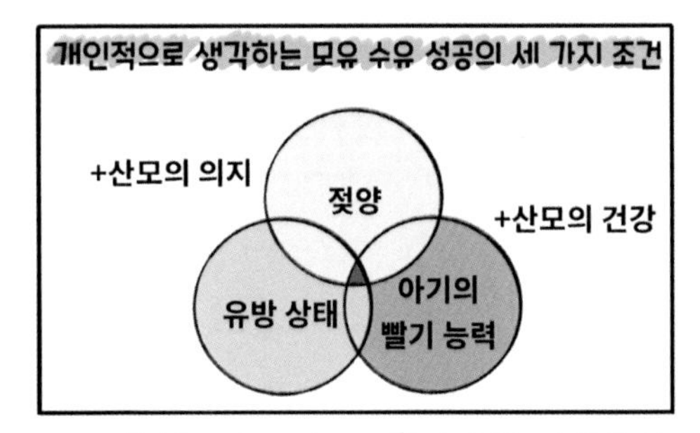


아기를 낳으면 자연스레 할 수 있을 것 같았던

모유 수유는 녹록지 않았다.

처음부터 단유를 일찍 하고 분유를 먹이기로 결심했던 사람도,
완모를 결심했던 사람도
어색하고 낯선 수유의 벽에 한 번씩 부딪힌다.
주변의 권유 앞에서 자신의 의지가 흔들리기도 한다.

주변에 분유만 먹은 아이들도 건강하다.
모유의 좋은 점도 있지만, 분유로도 충분히 아이는 잘 큰다.
이 웹툰을 보고, 혹시라도 모유 수유에 대한 압박을 받지 않으면 좋겠다.
엄마의 선택이 가장 중요하니까.

내가 그리고 싶었던 건 '모유 수유 성공기'가 아니다.
초보 엄마가 아기와 서로 적응하며 쌓은 1년의 추억이었다.

# 아기의 미소

아기를 낳고 키우는 것이 어떤 의미인지 전혀 몰랐던 20대 시절의 나는

이런 말을 하고 다녔다.

집에서 산후조리를 도와주시던
어머님이 더 이상
오지 않으시고
홀로 아이를 봐야 했던 첫날.
오랜만에 출근하는 기분으로
비장하게 하루를 시작했다.

걱정과는 다르게 반지는
천사같이 잠도 잘 자고
혼자서도 잘 놀았다.
울어도 다독이면 금방 그쳤다.

덕분에 나는 끼니도 제때 챙겨 먹고, 집안일도 하고, 책도 읽으며
꽤 여유로운 하루를 보냈다.

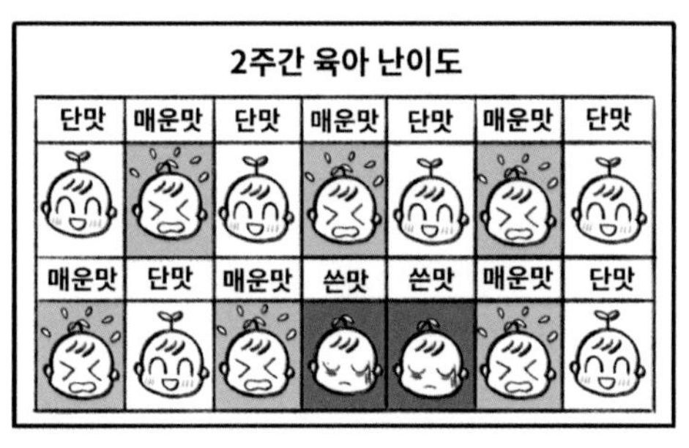


물론 방심은 금물.

육아가 하루 수월한가 싶으면 어김없이 다음날은 매운맛을 반복했다.

왜 자꾸 우니...
나도 울고 싶다...
응애~ 응애~

아직 몸도 제대로 가누지 못하는 아기와 한 몸처럼 지내고,

울음의 의미를 파악하지 못해서 발을 동동거리던 시절.

나보면 안 웃는데 여보 보면 웃는다.
엄마를 알아보나?
그러게~ 정말 귀엽다!

나를 알아보고
방긋 웃는 아기의
미소는 큰 힘이
되었다.

아침에 일어나 아기를 마주하면, 아기의 까만 눈이 나를 보고 활짝 웃었다.
연애를 새로 시작하는듯한 설렘을 온몸으로 느꼈다.
콩깍지일지 모르지만 내가 낳은 아기가 점점 예뻐 보였다.

갓난 아기를 돌보는 일은 고되기만 할 줄 알았다.
누군가의 미소에 이토록 가슴 꽉 찬 행복을 느낄 수 있다는 걸
아이를 키우지 않았으면 몰랐을 테지.

아이와 함께 지낸 지
4년이 다 돼 가지만,
여전히 내가 엄마로서
잘 하고 있는지 자신이
없을 때가 있나.

그럴 때 나를 향해 웃어주는 너를 보면서 힘을 얻는다.

지금 이대로도 충분하다고.

앞으로도 너와 함께 웃는 날이 많으면 좋겠다.

# 아기가 침대에서 떨어졌다

설마!?
후다닥

으악!!! 반지야!!!
으아아아아아앙

아… 어떡해… 어떡해!?
뒤집기도 한 번 겨우 하는데,
애가 어떻게 구른 거지…?
으아아아아아앙
아니, 애를 침대 위에 눕혀 놓은
내 잘못이지. 어쩌지? 많이 다쳤으면…

여보세요.
흐으으으윽
으아아앙
여보? 무슨 일이야??
왜 그래?
어떡해... 반지가... 흐윽
침대에서 떨어졌어...
으아아아앙
어...? 우선 반지 달래고,
소아과에 전화해서
어떻게 해야 하는지 물어봐.
택시 타고 빨리 집에 갈게.

뚜루루루루루... 딸칵!

네, 여보세요. 미래 소아과입니다.
저... 4개월 된 아기가 침대에서 떨어졌는데 바로 병원에 가야 할까요? 어쩌죠?

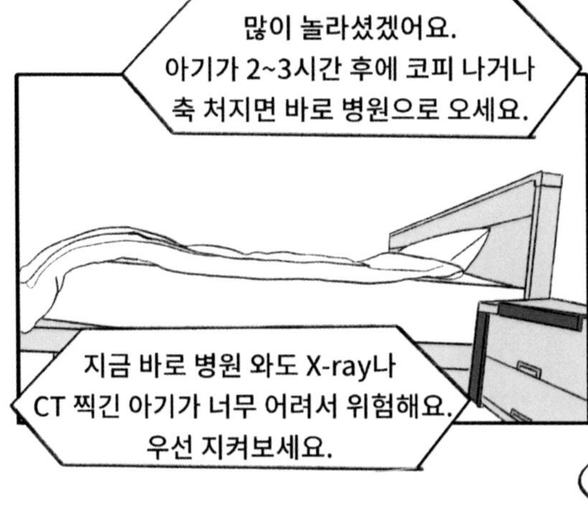
많이 놀라셨겠어요. 아기가 2~3시간 후에 코피 나거나 축 처지면 바로 병원으로 오세요.
지금 바로 병원 와도 X-ray나 CT 찍긴 아기가 너무 어려서 위험해요. 우선 지켜보세요.
네 알겠습니다.

우선 지켜봐야겠네. 으음... 엄마 맘마 먹고 기운 진정해볼래?
으아아아앙

* 아이가 울 때 젖을 먹이기보단 우선 지켜보는 게 좋아요.

괜찮아? 반지는?
아까 젖먹고 잠들었어.
어? 이제 일어났나 보다.
잘 웃고 잘 노는데...? 괜찮아 보여.
아... 다행이다 ㅠㅠ
나 너무 놀라서 아무것도 못 했어.
앞으로 조심하자. 반지 괜찮을 거야.
너무 걱정하지 마.
으응...

아이가 떨어지고 72시간은 지켜봐야 한다는 이야기를 듣고,
이틀간 반지를 더 세심하게 돌봤다.

이틀 뒤, 걱정돼서 영유아 검진을 일찍 받았다.
며칠간 마음 졸였는데, 비로소 안심이 됐다.

아기가 태어나서 움직임이 점차 자연스러워지고,
행동반경이 넓어질수록 아이에게서 눈을 뗄 수가 없다.

이제 아이는 스스로 잘 걷지만
여전히 차에 부딪힐까 봐
손을 꼭 잡아줘야 하고
위험한 행동을 하면
제지해야 한다.

밴드만 붙이면 다 낫는다고
생각하는 5살 우리 딸.

아이가 앞으로 다치지 않고
살아갈 순 없을 테지만,
최소한 나 때문에 다치거나
아프지 않으면 좋겠다.
몸도 마음도.

# 수면 교육은 어려워

항상 잠이 부족했던 학창 시절. 학교에 가면 조는 게 반이었다.

수업 시간에 잠에 취해 있어서 시험 기간 때 교과서를 다시 보면서 공부를 했다.

20대 땐 공부, 취업해서는 야근, 심지어 노느라 항상 잠이 부족했지만.

평일에 못 자면 주말에 몰아서 잘 수 있고
어디서든 틈틈이 잘 수 있는 스킬이 있었다.

그러나 아기를 키운다는 건, 지금까지의 수면 부족과 차원이 달랐다.

자다 깨다 반복하는 아기를 돌보며 쪽잠을 자는 일상.
아기를 낳기 전, 내 의지대로 잠을 푹 잘 수 있었던 시절이 그리웠다.

반지는 신생아 땐 순한 편이었고,
젖 먹이거나 안아서 토닥이면 금방 잠들긴 했지만
점점 무거워지는 아기를 계속 안고 재울 순 없는 노릇이었다.

???

임신했을 때, 수면 교육에 관한 이야기를 들었지만,

수면 교육에 대한
부정적인 인식이 있어서
쉽게 시작하지 못했다.

아기가 잠들면 틈틈이 육아서를 읽으면서 수면 교육에 관해 공부했다.
수면 교육은 아이를 힘들게 하지 않는다. 오히려 반대였다.

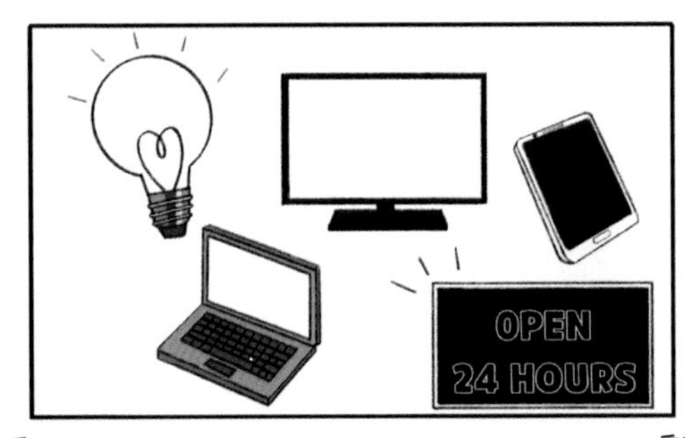


예전에는 환해지면 자고, 어두워지면 잠드는 자연스러운 생활을 했지만,
밤에도 환하게 지낼 수 있는 요즘은 부모의 각오 없이
아이는 잠자는 법을 자연스럽게 익히기 어렵다.

아기는 태어나면 혼자
자는 법을 모른다.
걷고, 말하는 걸 모르는
것처럼.

젖을 물려 재우거나 업어서 재우지 않고,
밤에 자연스럽게 잘 수 있도록 알려줘서
예측 가능한 하루를 만들어 주는 게 수면 교육의 핵심이었다.

***참고도서: [잘 자고 잘 먹는 아기의 시간표], 정재호, 한빛라이프**

잠을 제대로 못 잔 아이는
잘 놀지 못하고 칭얼거린다.
아이도 힘들고,
양육자도 힘들다.

아이의 몸과 마음을 건강하게 만들기 위해 수면 교육을 하기로 했다.

반신반의하는 남삥이랑 하면 수면 교육을 실패할 것 같아서

남삥이 출장 갔을 때 수면 교육을 시작했다.

아기가 태어난 지 97일이 되던 날이었다.

6~7시쯤 일어나서 낮잠은 조금만 자고,

저녁 7시부터 아이가 스스로 잠드는 패턴을 만들어 주기로 했다.

수면 교육 첫날, 5시에 목욕을 시키고, 7시에 재우려고 했는데
아이는 졸려서 찡찡대더니 공갈젖꼭지를 빨고 6시 좀 넘어서 잠들어버렸다.

으아...!? 목욕 일찍 시켜서 졸립나?
아직 자면 안 되는데!

반지가 30분 만에 일어나서 수유했다.
7시부터 잠옷을 입히고, 밝은 어둡게 하고, 백색소음 켜고,
엉덩이 토닥토닥하면서 인사한 뒤 공갈을 물렸다.

반지는 공갈을 빨다 잠드는 듯싶더니,
다시 깨서 울다가 잠들기를 반복했고

자는 게 너무 서러웠나.
왜이리 안 자려고 하니...
코오~
코오~

2시간이 지나서야
코 골면서 잠들었다.

이 패턴을 3일간 반복했다.
처음 이틀간은 2시간 동안 울어서 너무 지쳤는데
3일째 되는 날 30분 만에 잠들었다.

수면 교육이 성공한 줄 알았다.
그러나 한 달이 지나자 잘 자던 아이가 갑자기 엄청나게 울고,
제대로 잠들지 못했다.

수면 의식하면 바로
방에서 나왔었는데,
아이가 너무 우니깐
옆에서 토닥이면서
자장가를 불러줬다.

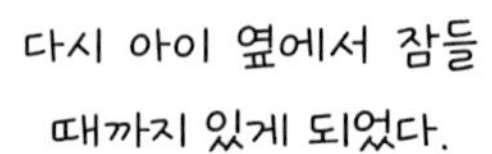
다시 아이 옆에서 잠들
때까지 있게 되었다.

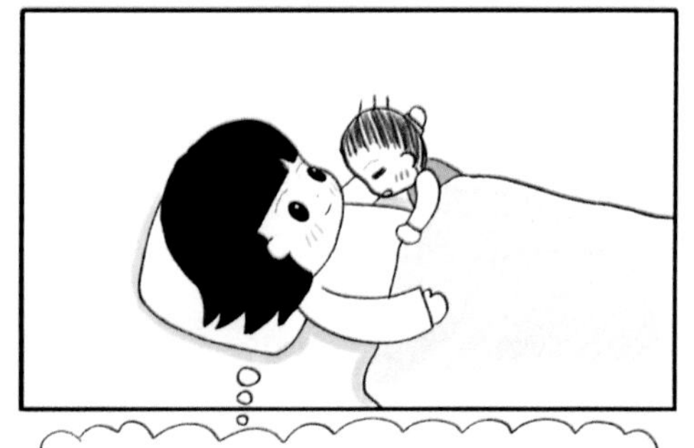

옆에 있으면 금방 자니까. 그냥 옆에서 재우자.
일찍 재우는 것만 습관을 들이면 괜찮겠지.

그런데 아이를 재우는 시간이 점점 길어졌다.

자기 싫어하는 아이와 억지로 재우려는 엄마가 누워서 밤을 보냈다.

몇 달 뒤, 다시 수면 교육을 시도했지만,

내가 나가자 아이는 기어서 방문을 쾅쾅 두드리며 자지러지게 울었다.

50분 같은 5분이 흘렀다.

아이의 애처로운 울음소리를 버틸 수 없던 나는 방문을 열었다.

결국 수면 교육은 실패했고,
여전히 나는 아이가 잠들 때까지 옆에서 기다린다.

아이의 울음에 의연하게 대처하고,
일관되게 수면 의식을 했다면 수면 교육에 성공했을까?

그래도 밤잠은 1시간이든 2시간이든
불 끄고 누워 있으면 언젠가 잠들었지만,
낮잠 재우는 건 더 어려웠다.

아기는 성장을 위해 낮잠을 꼭 자야 한다.

**낮잠 시간에 주로 했던 일.jpg**

주 양육자도 잠깐 한숨 돌릴 수 있는 낮잠 시간.

반지가 낮잠 자는 시간은 매일 조금씩 달랐다.

그나마 돌전에는 어떻게든 재웠는데,
돌이 지나자 낮잠을 재우려면 전쟁이었다.

낮잠 재우려고 불을 끄면, 울거나 안 자고 계속 놀곤 했다.
재운는 걸 포기하면, 안 자고 버티다가 저녁에 꾸벅꾸벅 졸았다.

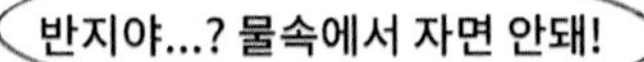

5시 이후에 낮잠을 자면 밤잠을 너무 늦게 자기 때문에
어떻게든 그전에 낮잠을 재우려고 유모차를 태우고
아파트 단지를 빙빙 돌기도 했다.

반지가 3살이 되고
어린이집에 가면서 집에서
낮잠을 재우지
않게 됐는데,
문제는 어린이집에서
너무 푹 자고 오는지 밤에 잠
드는 시간이 점점 늦어졌다.

8시 전에 잠들던 아이가 10시 11시가 넘어서 잠들기 일쑤였는데,
반지는 늦게 자나 일찍 자나 대부분 7시 전에 일어났다.

내가 아침에 반지보다 먼저 일어난 게 몇 번 되지 않는다.
대부분 반지가 아침 일찍 일어나서 나를 깨운다.

자러 가자고
말만 하면 서럽게
울던 2~3살 시절

우는 거 진정시키고 겨우 눕히면 반지는 안 자려고 버티곤 했다.

반지가 왜 이리
자기 싫어하는지
정확히는 모르지만,

아침부터 에너지가
넘치는 아이는 일어나면
하루에 대한
기대가 샘솟고,

자기 전에 조금이라도 많은 걸 보고, 느끼고 싶어 한다.

그나마 다행인 건, 아이가 5세가 되고 기관에서 낮잠을 재우지 않으니
보통 8시~9시 사이에 잠든다. (물론 더 늦게 잘 때도 있습니다.)

사실 나도 육퇴 후
자유가 너무
달콤해서 자기 싫을
때가 많다.
아이도 나처럼 자는
시간이 아깝겠지.

비록 수면 교육에는 실패했지만,
자기 전에 아이랑 함께 책을 보는 시간, 수다 떠는 시간이 좋고

내 옆에서 쌔근쌔근 자는 아이를 보면 사랑스럽다.
아이가 좀 더 크면, 서로 부대껴서 체온을 느끼며 자던
이 순간이 그리워질 것 같다.

# 밥 좀 먹어주라

Q. 아이한테 특별히 바라는 점 있으신가요?
차엠 / 5세 아이 엄마
아니요. 딱히 없어요. 지금처럼만 잘 자라주면 좋겠는데...

Q. 아이한테 특별히 바라는 점 있으신가요?
차엠 / 5세 아이 엄마
아! 음식 좀 골고루 먹으면 좋겠어요. 저희 딸 편식쟁이인데 고칠 방법 없을까요?

우리 반지 이제 범보의자에도 잘 앉아 있네. 예전엔 쓰러질 거 같았는데.
기우뚱
건들
건들
3개월 반지
5개월 반지
응. 허리 힘이 많이 좋아졌어!

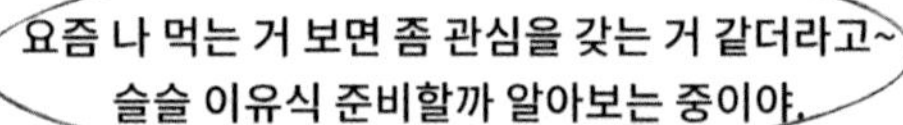
요즘 나 먹는 거 보면 좀 관심을 갖는 거 같더라고~
슬슬 이유식 준비할까 알아보는 중이야.

그래, 뭐 준비할 거 있어?

엄청 많아.
헉... 이거 다 사야 해?
차르륵

보통 분유 수유면 4개월부터 시작하고,
모유 수유면 6개월부터 해도 된대.
다음 달이면 6개월이니
빨리 준비해야겠어.

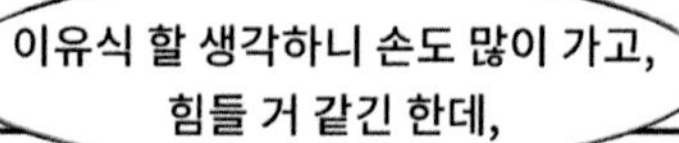

이유식 할 생각하니 손도 많이 가고,
힘들 거 같긴 한데,

반지가 아기 새처럼 입 벌리고 먹으면
정말 귀여울 거 같아!

헉!? 다 뱉네!? 어떻게 먹는지
몰라서 그런 건가.

그러지 않을까. 숟가락으로
음식 먹는 게 처음이잖아.

아이에게 이유식
먹이기는 생각처럼
쉽지 않았다.

어떤 걸 먹이면 좋을까?
음식 궁합은 맞을까?
알레르기 반응은 괜찮을까?

이유식을 시작하면서
틈나면 공부했고,
신경을 많이 썼다.

편식하지 않고,
건강하게 잘 자라길
바라며 다양한 재료로
정성껏 만들었다.

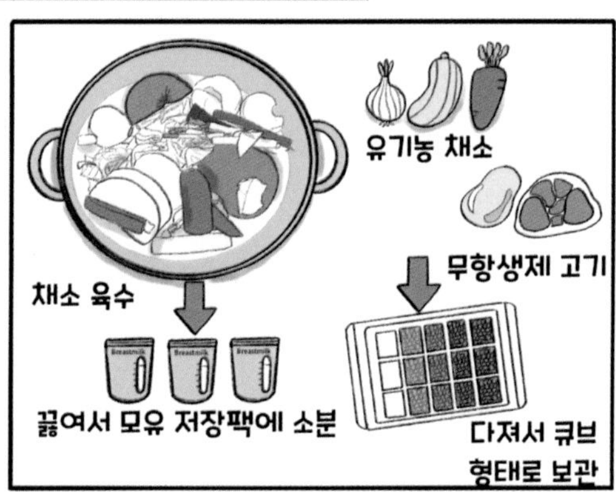
유기농 채소
무항생제 고기
채소 육수
끓여서 모유 저장팩에 소분
다져서 큐브 형태로 보관

이유식 재료 보관 팁

친정집
(남뽕 출장 갔을 때 한동안 지냄)
뭐 하는 거야?
보글보글
친정 엄마
반지 이유식 육수 만들어요.

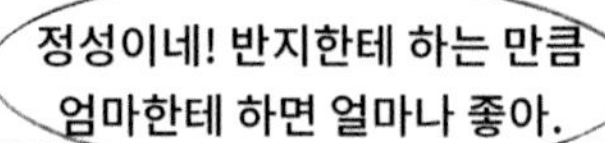
정성이네! 반지한테 하는 만큼
엄마한테 하면 얼마나 좋아.

보글보글
하하 죄송해요.

반지가 7개월 즈음,
채소를 스틱 형태로 찌거나
핑거푸드를 줘서
아기가 직접 손으로 먹는
방법인 아이주도 이유식도
병행했다.

아이주도 이유식의 장점은 아이가 직접 스스로 먹으면서 자신감을 얻고,
죽이 아닌 식재료 고유의 촉감과 맛을 탐색해서
편식을 할 확률도 줄어든다고 한다.

*참고도서: [아이주도 이유식 레시피북], 이상이, 한빛라이프

아이주도 이유식 준비물
흡착 식판
방수 긴팔 턱받이
화 안 낼 인내심
김장매트나 방수천


아이주도 이유식이
필수는 아니다.

죽 이유식처럼 골고루 영양분을 섭취하기 힘들고,
음식에 따라 목에 걸릴 위험이 있다.
식탁이 엉망이 돼서 치우는 게 스트레스가 될 수 있다.

나는 아기가 어려도 삼시 세끼 꼬박꼬박 챙겨 먹어서인지 (반지를 바운서에
앉혀놓고 먹음) 아이와 함께 식사할 수 있는 아이주도 이유식이 좋았다.
먹다가 흘리는 게 더 많고, 촉감놀이가 되곤 했지만 반지도 즐겁게 먹었다.

다만, 다양하게 만들어
주지 못했고, 죽 이유식
처럼 한 번에 만들어서
쟁여둘 수 없어서

끼니때마다 조리하기 번거로워서 매일 해주진 못했다.

지난주는 잘 먹더니 이번 주는
이유식 많이 남겨서 속상하네...

보다 촉감놀이고.

그래도 돌 전까지는 모유나 분유가
주식이라니까 괜찮겠지?

왜 안 먹니 ㅠㅠ

이유식에 정성을
쏟았지만, 반지는 잘
먹는 편이 아니었는데
유아식으로 넘어가고
밥 먹이는 게 더 어려웠다.

이유식은 안 먹더니 맨밥을 더 잘 먹네.
죽이 싫었니?
놈놈놈

반지가 이유식을 잘 먹지 않아서 돌전부터 밥을 줬다.

아이주도 이유식을 하고, 엉망진창으로 먹어도 놔뒀더니
돌이 지나서 숟가락질도 곧잘 했다.
(오히려 4살쯤 되니 먹여달라고 함)

**촉감놀이...!?**

**국그릇 들고 마시기**

처음엔 음식에 거부감이 없는듯했는데,
슬슬 음식에 대한 호불호를 강하게 나타냈다.
좋아하는 음식은 더 달라고 했지만,

**캡틴, 오 마이 캡틴!(?)**

싫어하는 걸 주면, 먹기 싫다고 울면서 아기 의자에서 벌떡
일어나거나 한 입 먹고 뱉어버리거나 패대기치기도 해다.

처음엔 그러려니 했는데, 편식하고 음식을 거부하는 아이를
계속 보니 삼시 세끼 챙겨주는 게 스트레스가 쌓였고

어느 날, 밥투정하며
음식을 던지는
아이를 보다가

나는 폭발하고 말았다.

아이가 음식을 던져 버릴 때 내 마음도 쿵 떨어지면서

감정을 주체하지 못했다.

이런 일이 계속
반복되니 나에게
질문을 계속 던졌다.

안 먹어서 잘 안 클까 봐
걱정된다면,
화가 나는 게 아니라
안타까워야 하지 않을까.

아이에게 밥을 해 먹이는 것이 나에게 어떤 의미인지

진지하게 마주하다 보니, 어린 시절이 떠올랐다.

어렸을 때, 친정엄마는 시부모님을 모시고 살았고,
삼 남매를 키우시느라 항상 바쁘셨다. (7명 대가족)

심지어 신혼 때는 출가 안 한 삼촌에 미장일하시는 아빠 일꾼들
식사까지 챙겨서 1년에 쌀 14가마니나 밥을 하셨다고.

엄마가 놀아주신 기억은 없는데, 삼 남매에게 어떻게든
밥을 먹이려고 열심히 요리하셨던 모습이 기억에 남는다.

편식하던 우리를 위해 다양한 음식을 손수 만들어주셨다.

엄마표 음식들.jpg

엄마가 사랑한다는 표현은 자주 하진 않으셨지만,
만들어 주신 음식에서 사랑을 느꼈다.
엄마의 사랑이 듬뿍 담긴 음식을 먹고 나는 건강하게 자랐다.

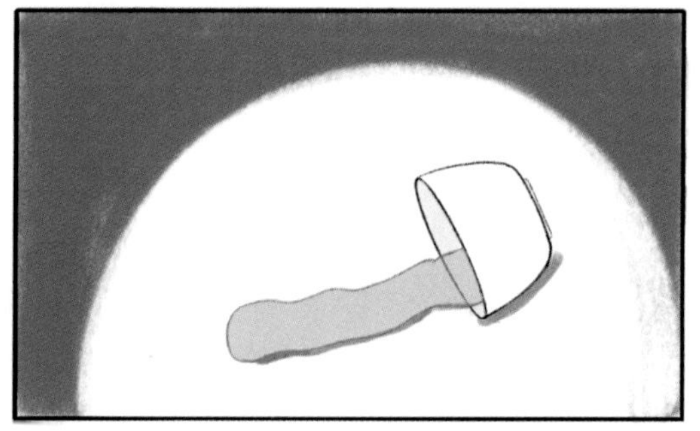

엄마를 보면서 음식은 사랑이라고 배웠던 것 같다.
그래서 내가 정성껏 만든 음식을 안 먹는 아이를 보면
내 사랑이 거부당하는 기분이 들었다.

내가 이만큼 너를 위해 정성을 들였으니
너는 내 노력을 받아먹어야 한다고 생각했었다.

자신이 아무리 좋은 의도를 갖고 선물을 줘도 상대방
마음엔 들지 않을 수 있고, 거절할 수 있다.

물론 거절할 때 상대방에게 상처 주지 않고,
상냥하면 좋겠지만 아이는 고작 2살이었다.
그런 매너를 배우긴 너무 어렸다.
그저 온몸으로 싫음을 표현했을 뿐.

밥을 해주는 것 말고도
아이에게 사랑을 전하는
방법은 많으니 마음을
내려놓기로 했다.

즐거워야 할 식사 시간이 아이의 울음과 내 고함으로 망쳐지는 게 싫었다.

반지야 다 먹으면 좋지만 먹기 싫은 거는 이 그릇에다 빼놔도 돼.
파 싫어!!
빈 그릇 줌
응, 알았어. 빼줄게~

설득과 회유

반지야~ 이거 먹어볼까? 진짜 맛있다~ 몸에 좋은 거야! 다 먹으면 간식 줄게~
단호
안 먹을래!

편식을 고치기 위해
노력을 했으나…

요리 놀이
반지야~ 우리 같이 만든 동그랑땡이야! 먹을까?
단
호
안 먹을래!
책 읽기
와~ 뽀O로는 이제 채소를 잘 먹는대! 반지도 채소 먹어볼까?
단
호
아니! 안 먹을래!
하하하... 저 단호박 같은 아이를 봤나...

큰 효과를 본 건 없었다.

고기나 생선은 먹는데, 채소가 눈에 보이거나
조금이라도 크면 뱉어버린다.

그나마 채소를 씹는 느낌이
들지 않게 다 갈아서 만든
카레, 짜장, 토마토소스는
잘 먹어서 항상
쟁여두고 있다.

이제는 아이가 음식을 거부해도 화가 나진 않지만,
골고루 먹지 않아서 건강하게 자라지 않을까 봐 걱정된다.

신기한 건 이렇게 편식하는데
4살 이후에는 감기도
잘 걸리지 않고,
건강하게 자라고 있다.

(아마 코로나 때문에 마스크를 써서인 거 같지만요)
채소를 안 먹는데 변비도 없다.

먹은 음식이 뼈가 되고,
살이 될 텐데.
편식하는 아이를 보면서
쿨하지 못하게 앞으로도
계속 음식을 권할 것이다.

[난 토마토 절대 안 먹어], 로렌 차일드, 국민서관

우선 나부터 아이 앞에서 건강한 식단으로 먹기로 했다.
사실 아이부터 챙기느라 끼니를 대충 때울 때도 많았고,

아이 위주로 음식을 하다 보니
내가 좋아하는 음식은 요리하는 데 뒤로 밀렸다.

내가 음식을 골고루 먹다
보면, 아이도 자주 보는
음식에 익숙해지지 않을까.

엄마가 먹던 김치찌개는 한번 먹어보고 싶겠지.
갑자기 태국 음식이 당기진 않을 테니까(?)

오늘도 아이에게 어떤
음식을 해줄지, 무엇을
먹일지 고민한다.
밥이 뭐라고, 이렇게
신경이 쓰이는지.

반지가 골고루 먹어주면 좋겠지만,
무엇보다 함께 하는 식사 시간이 즐겁길 바란다.
지금은 그걸로 충분하다.

몸에 좋다고 해도
먹기 싫은 건
어쩔 수 없나 봐요.
아이가 음식 거부하는 게
좀 이해는 되네요.

## 에필로그 2

반지야 너 절대
미각이었구나...
채수해서 이유식을
잘 안 먹었던 건가.
(늦은 깨달음)

# 아기의 울음

부모님께서 자주
얘기해 주시는
내 어릴 적
이야기 중 하나는...

어후 네가 아기 때 얼마나
울었는지 몰라.
밤새 울어서 엄마랑 아빠,
할머니가 번갈아가면서 봤잖아.

네가 우리 집에 처음 태어난 아기였거든.
어머 얘가 차엠이야?
귀여워라~
한 번
안아보자~
다들 예쁘다고 건드리고 난리여서
그렇게 울었나 싶더라고.

그래서 네 동생은 아기 때 안 건드리고
가만히 놔뒀더니 많이 울진 않았는데
발달이 좀 느리더라고.
넌 10개월에 걸었는데
네 동생은 돌 지나고 한참 뒤에 걸었어.
엄마의 추측입니다.
확실하진 않아요^^;


내가 엄청나게
울었다는 거다.

아기를 낳기도 전부터
아기의 울음은
나에게 공포였다.

반지를 낳고 처음 집으로 데리고 온 날.
반지가 엄청 울어서 남삥과 나는 밤새 잠을 못 잤는데

그날 이후로는 반지가 많이 보채지 않아서 기질이 순한 줄 알았다.

(울음 통역기가 있으면 좋겠네요...)

아기는 말을 못 하기 때문에 모든 걸 울음으로 표현하는데,
신생아가 우는 이유는 생리적 욕구가 가장 많았다.

반지가 울면 적절하게
욕구를 채워주기
위해 노력했다.

간혹 밤에 잠을 너무 안 잘 때가 있었는데,

반지는 더우면 잠을 잘 못 자고 울었다.

6살이 된 지금도 더우면 못 잔다.

아기를 키우면서 온습도가
생활하는 데 이렇게
중요한지 처음 알았다.
되도록 온도는 20~24도,
습도는 40~60% 정도로
맞추려고 한다.

그 외에도 안아달라고, 심심해서, 낯가려서, 아파서, 이앓이 등…
우는 이유는 다양해졌고, 울면서 아기는 성장했다.

반지가 심하게 울었던 밤이었다.
남삥은 출장 가서 나 혼자 배일도 안 된 반지와 둘이 있었는데…

헉… 뭐야 덧신 사이로 발가락
하나가 삐져나와 있었잖아…?
발버둥 치다가 발가락이 나온 건가?
발가락이 빨개졌네… 아파서 울었구나…
아… 미안해 반지야…ㅠㅠ

엄마가 네가 아파서 운 것도 모르고
계속 널 재우려고 했구나…
발이 차서 신겼는데… 엄마가 미안해…ㅠㅠ
휙!

덧신 벗겨주니깐 기분이 좋아졌나?
에구 얼마나 아프고 답답했을까…
이제 웃으면서 잘 노네~
근데 반지야 벌써 새벽 4시야….
이제 자자…

잠을 설친 나는 반지를 재우다 잠들어버렸다.

내가 잠든 사이 반지가 뭘 했는지 알 수 없었지만

자신의 울음을 늦게라도
알아채준 엄마를 보면서
어젯밤과 달리
활짝 웃고 있었다.

엄마가 되면 아기의 울음을 저절로 이해할 수 있는 줄 알았다.

아기가 왜 우는지 알 수 있는 건 엄마이기 때문이 아니었다.

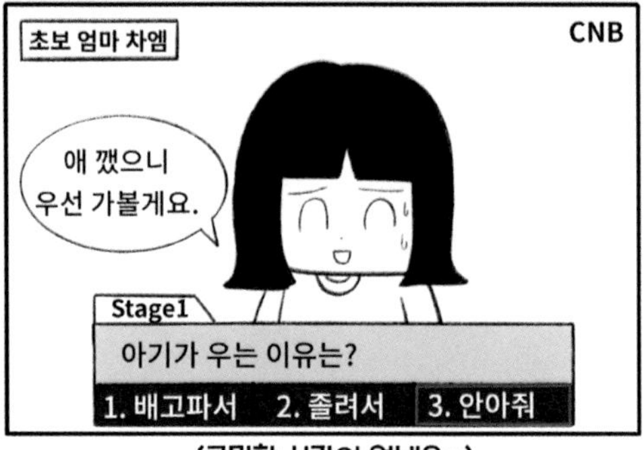


(고민할 시간이 없네요…)

주 양육자가 엄마인 경우가 많기 때문에
아기를 가장 가까이 관찰하고,

많은 시간을 보내면서 알게 되는 것이었다.

그렇게 나는 엄마가 되어갔다.

# 3장
# 경력단절과
# 채움 사이

# 육아라는 동굴

처음 아이와 집에
있을 때의 막막함은

시간이 지나니
차츰 익숙해졌다.

아이를 낳고 가장
힘들었던 건 육아 자체가
아니라 육아를 하면서 오는
'고립감'이었다.

20대 때는 여행을 가고,
새로운 사람을 만나는 걸
좋아했다.

집에 오래 있는 걸 좋아하진 않았지만
어쩔 수 없이 집에만 있어야 하는 생활이 이어졌다.

아기가 아직 백일도
안 됐을 때는 외출이
조심스러웠다.

(7시 이후는 1분이 1시간 같이 느껴짐)

남삥이 퇴근하기 전까지는 주로 혼자 아이를 보며 시간을 보냈다.

남삥이 집에 와야 사람다운 대화를 할 수 있었다.

아이는 정말 예뻤다.

반지를 보면 지금까지 몰랐던 내 안의 사랑이 넘쳐흐르는 게 느껴졌지만,

불쑥불쑥 찾아오는 우울감은 쉽게 사라지지 않았다.

아이랑 처음 맞는 겨울은 춥고 길었다.

봄이 되고, 반지가 7개월이 됐을 때
집 근처에 문화센터를 등록했다.

어!? 안녕하세요~
저희 예전에 본 적 있지 않아요?
맞는 거 같아요. 조리원이랑 베이비마사지
하러 다닐 때 보지 않았어요?

맞아요~
그럼 애기 7월생이죠?
네~ 7월 24일이
생일이에요
아~ 저희 애는 21일이 생일인데~
이렇게 계속 만나는 거 보니 저희 인연인가 봐요!
친구들! 안녕하세요~

안 바쁘시면, 이따 수업 끝나고
같이 밥 먹을래요?
네 좋아요~
그럼 출석 부를게요~

안녕하세요~
수업 시작했나 봐요...
네, 지금
시작했어요~
네!
원우~

오늘 아가들 공룡이 되어 볼 건데요~
옷 나눠 줄 테니 입혀주세요!

문화센터를 다니면서 수업 자체보다는 아이와 함께 나갈 곳이 생기고,

육아 동지도 사귈 수 있어서 좋았다.

외출을 자주 하니 아이도 나가는 걸 좋아했다.

말도 안 통하는 아이랑 종일 둘이 집에만 있으면

시간이 천천히 흐르는 것처럼 느껴졌는데,

매일 나가자고 해서 난감할 때도 있었지만, 즐거운 추억이 더 많았다.

육아라는 동굴 속에서 조금씩 벗어났지만,

아이를 키우긴 신혼집은 너무 열악했다.

우리 가족은 반지가 두 번째 가을을 맞이할 때 이사를 했다.

# 집 문제

남삥과 나는
양가 부모님의
도움을 받지 않고,
결혼 준비를 했다.

나는 첫 직장을 그만두고
워킹홀리데이를 다녀와서
쉬는 기간도 있었고,
학자금 대출을 갚느라 모은
돈이 많지 않았다.

결혼 전 차엠의 자취방
나 모은 돈이 너무 없어.
돈 좀 모으고, 한... 3년 뒤쯤 결혼할까?

같이 지내려고 결혼하는 거니까
아무것도 안 준비해도 괜찮아.
몸만 와도 되니까
너무 미루지 말자.
자취할 때 쓰던 물건만
챙겨와도 돼~
캐나다 갔을 때도 2번이나 찾아오고,
1년 동안 기다려주고, 저렇게 말하는데…
내가 너무 기다리게
하는 걸까?
찌잉-
벌써 만난 지 6년이 돼가는데…
돈이야 같이 살면서
모아도 되려나…?
응 그래! 너무 미루지 말자~
학자금 이제 거의 다 갚았으니까.
결혼하자! 내년에 할까?
좋아~

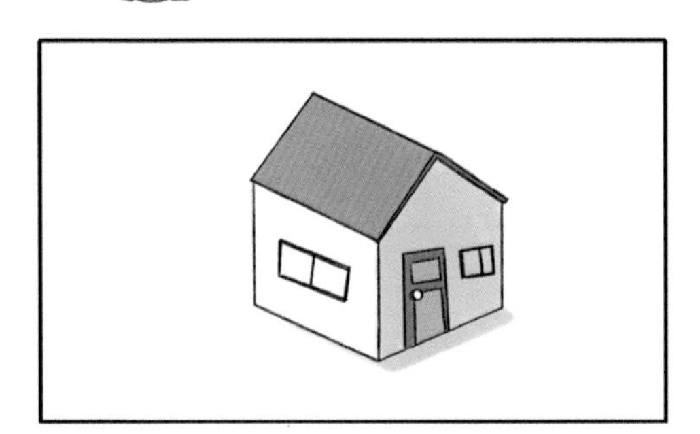

나는 겨우 살림살이를 장만했고,

남삥이 3년간 모은 돈으로 집을 알아봤다.

직장 중간에 신혼집을 구했는데,

출퇴근 때문에 역 근처로 집을 찾았다.

남삥이 모은 돈이 적지 않다고 생각했는데, 집을 구하기엔 턱없이 부족했다.

우리가 큰 욕심을 낸 것도 아니었다.
적어도 1.5룸아니 2룸이고, 깔끔하길 바랐다.

둘러본 집들 중에는 네모 반듯하지 않고, 묘하게 각이 많은 집들도 있었다.
좀 괜찮은 집은 역에서 너무 멀었다. 곰팡이로 가득한 집도 있었다.

우리는 부동산을 너무 몰랐고, 대출이 무서웠던 남삥.
나도 학자금 대출을 갚을 때 힘들었던 게 생각나서
대출을 강요할 수 없었다.

우리는 주말마다 집을 보러 다녔다.
그나마 괜찮다고 생각했던 집은 머뭇거리는 동안
다른 사람이 먼저 계약하는 일을 두 번 겪었다.

후우... 어제 본 집 연락해 보니까 나갔대.
지금까지 본 것 중엔 괜찮았는데.

아쉽다. 보증금 부족해서 퇴직금 정산을
미리 받아서라도 계약할까 고민했는데...

집 괜찮으면, 이제 망설이지 말고
바로 계약한다고 하자.
그래! 이러다 결혼식 전에
집을 못 구하겠어!


**6번째 집 보러 가는 날**

주말마다 집 보러 다니네...
오늘은 역 남부 쪽으로 다녀보자.

응... 제발 구할 수 있길.

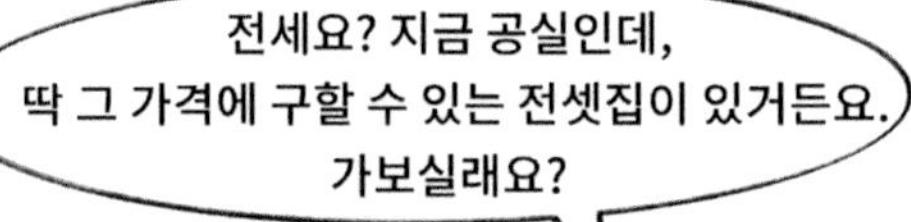
전세요? 지금 공실인데,
딱 그 가격에 구할 수 있는 전셋집이 있거든요.
가보실래요?

부동산

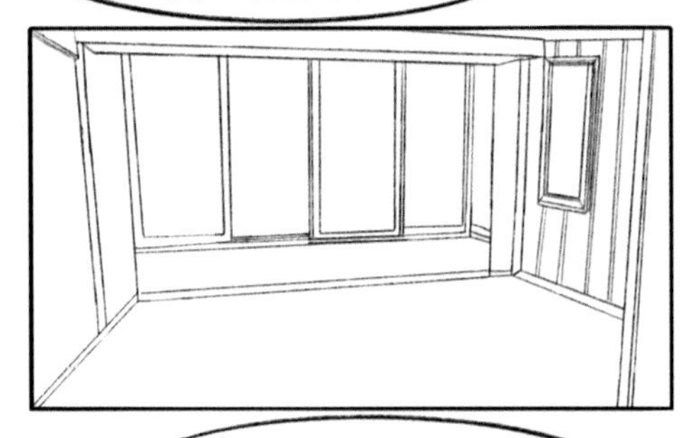
역이랑도 가깝고, 가격도 착하죠~
채광도 잘 들어와요!
공실이라 얼마 전에
집주인이 도배도 새로 해놨어요~

여기 괜찮은 거
같지 않아?
응. 그나마 지금까지
봤던 집 중에 집 같다.

한겨울에 두 달 동안 집을 구하러 다녔던 우리는 우여곡절 끝에 신혼집을 계약했다.

신혼집은 역에서 도보로 5분 거리에 위치한
지어진 지 30년이 넘는 다가구 주택이었다.

오래된 집이라 거실 천장과 한쪽 벽이 나무로 되어있어서 난감했는데,
가구를 채우니 레트로 감성에 편안한 분위기로 변했다.

신혼 때는 불편함을 느끼지 못했다.
낮에는 각자 직장에서 시간을 보냈고,
저녁때 들어와 쉬는 공간이었으니까.

낡고 오래됐지만, 우리만의 공간이 좋았다.
친구들도 초대해서 집들이도 많이 했다.

친구들도 편히 쉬고 놀다 갔었다.

(밥 먹고 소파에서 잠든 친구들, 너무 편했구나)

우리가 집을 사는 건 먼 훗날의 일인 줄 알았다.

그런데 출산 후 종일 집에서 아이랑 둘이 있게 되면서
문제점이 하나둘 눈에 들어오기 시작했다.

오래전에 지은 집이라서 그런지 단열이 전혀 되지 않았다.
여름엔 에어컨을 틀어도 더웠고, 겨울엔 보일러를 켜도 추웠다.

반지가 태어나고, 겨울에 종일 보일러를 켰더니
난방비가 20~30만 원씩 나왔는데, 실내 온도는 15도를 넘기 힘들었다.

외풍이 심해서 난방 텐트를 치고 잘 수밖에 없었고,
아이에게 두꺼운 내보이나 조끼를 입히고 지냈다.

추운 건 어떻게든 견딜 수 있었지만,
집안 곳곳에 곰팡이가 퍼졌다.
아이 건강을 해칠까 봐 걱정됐고,
곰팡이처럼 우울감도 퍼졌다.

우리 집과 다른 집이 바짝 붙어 있어서 창밖을 내다보면 더 답답했다.

집 밖으로 나가려면
계단을 내려가야 했고,
집 근처 인도는 너무 좁고
복잡했다.

유모차를 샀으나 끌고 나갈 수 없었다.

남삥... 우리 이사 갈까?
우리 둘이 살 땐 몰랐는데,
아이 키우긴 너무 환경이 열악한 거 같아.
내년 2월에 전세 만료니까
그전에 집 구해서 가고 싶어.

갑자기? 돈도 별로 못 모았고
내가 1월까지 계속 출장 가는데,
반지도 어린데 집 구하러 다니기 힘들 거 같아.
이사가 보통 일이 아닌데
올겨울은 지나고 좀 생각해 보자.

하아... 알았어.
다음 주에 출장 가면
3주 있다가 온다고 했나?
우선 출장 다니는 거
끝나면 다시 얘기하자.


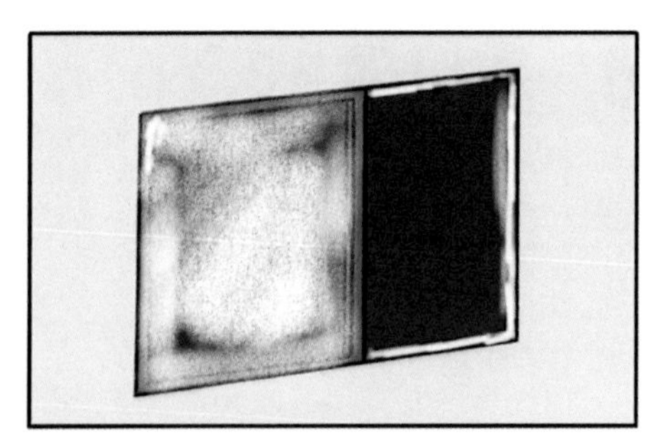

아이와 처음 맞는 겨울은
매우 추웠는데,
단열이 제대로 되지 않는
창문에 성에가 꼈다.

헉… 저거 창에 성에 낀 거야?
응 그런가 봐. 올해 겨울 너무 춥네. 그거보다 곰팡이가 너무 난리야.

내가 출장 다니느라 신경을 많이 못 썼는데, 이 집은 정말 안 되겠다. 우리 이사 가자!

응… 제발 가자. 대출받아서라도 가자. 주변에 대출 없이 집 구한 사람 아무도 없어…
우리끼리만 살면 모르겠는데, 애 키우기엔 이 집은 너무 열악해.

이사 가기로 정했지만, 어디로 갈지 고민이 되었다.

# 퇴사하기로 결심하다

우리는 직장 중간에
신혼집을 구했기 때문에
이사를 하면 직장을
어떻게 할지가 문제였다.

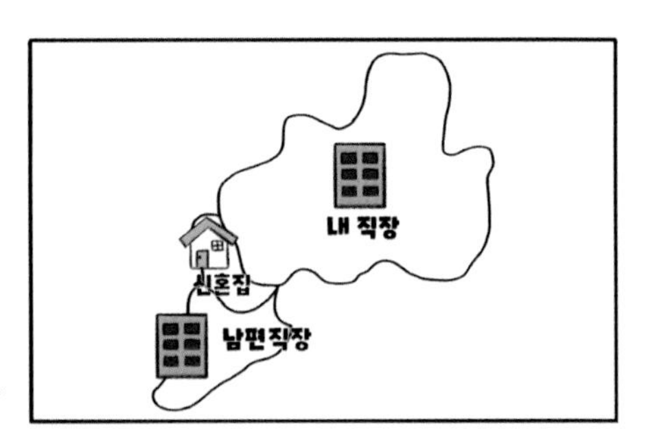


나는 복직을 하고 싶었다.

아이를 낳더라도
나를 잃고 싶지 않았다.

일은 돈을 벌 수 있는 수단이기도 했지만,
내 존재가치를 증명해 준다고 생각했다.

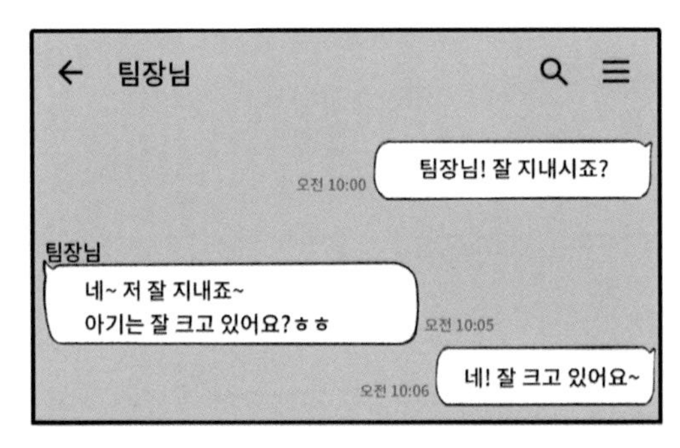


휴직 중에도 팀장님과 팀원들이랑 종종 안부를 주고받았고,

어머 얘가 반지예요?
너무 귀엽다~

얘가 낯을
좀 가려요…

으앙!!!

인사드리러 일터에 찾아가기로 했었다.

이제 복직하려면 아이를
맡겨야 하는데 어쩌지...
어머님은 일하셔야 돼서 반지 돌봐주긴
힘들 것 같다고 먼저 말씀하셨고...

우리 친정은 멀고 엄마도 일하시니까
부탁드릴 수가 없고…
아니, 되신다 해도 양가 부모님께
육아를 맡기긴 죄송하긴 해…

육아도우미 좀 알아볼까…
정부 지원되는 게 있네.
흠… 우리 소득엔 지원금이
안 나와서 비싸구나.
내 월급을 다 드려야
될 것 같은데…

그런데 돈을 주는 건 괜찮은데
그만큼 좋은 사람을 구할 수 있을까?
아직 애가 말도
못 하는데 괜찮을까?

차라리 어린이집에
보내는 게 나으려나?
애 낳고 키우기도 쉽지 않지만,
맡기는 게 더 힘드네.

반지 어린이집 한번 알아보자.
도우미 구하는 것보단 나을 것 같아서
애가 너무 어린데
벌써 어린이집 보내게?

미리 알아보는 게 나을 것 같아서
우선은 한번 상담이라도 받자.
이 근방 어린이집 다 둘러보게.
혹시 남뼹, 연차나 반차
쓸 수 있으면 같이 가자

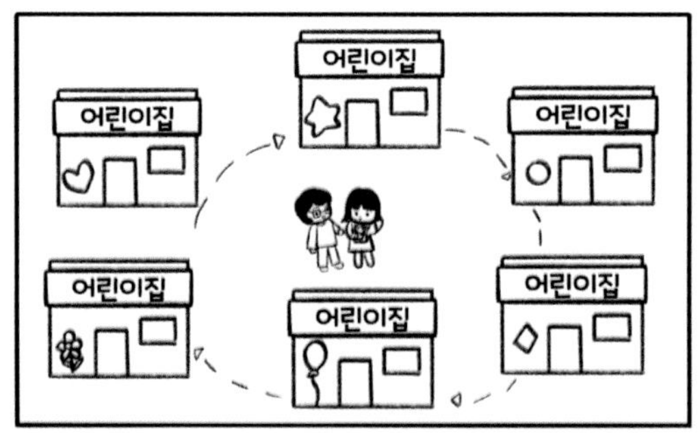


(인터넷으로 알아보지도 않고 발품 팔아서 돌아다녔어요. ㅠㅠ)

집 근처 어린이집을
다섯 군데 돌아보고
상담을 받았다.

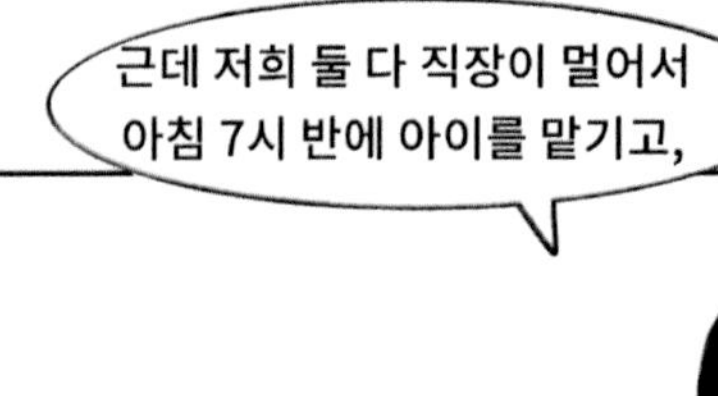
근데 저희 둘 다 직장이 멀어서
아침 7시 반에 아이를 맡기고,

7시 넘어서 아이를 데리러
올 수 있는데... 가능할까요?

엄마…
당직 선생님이 7시 반에 문을 열긴 하는데,
오래 맡기면 아이가 힘들어할 수도 있죠.

아무래도 그렇겠죠...
7월 되기 전에 다시 연락드릴게요.
네 연락 주세요~

음... 어린이집 상담받을수록 마음이 무겁네.
내가 복직하면 애를 너무 오래 맡겨야 하네...
갑자기 야근할 수도 있고, 애 아프면
둘 다 1시간 반 이상을 달려서 와야 하는데...

여보 일하고 싶지?
내가 차라리 일 그만두고 반지 볼까?
어? 일을 그만둔다고? 내 월급이
더 적은 데, 셋이 먹고살고 있을까?

아끼면 어떻게든 되지 않을까?
아직 애가 너무 어린데...
남의 손에 종일 맡기는 게
걱정도 되고...

사실 나도 그래.
이사도 가야 하는데...
만약 내가 다니는 직장 쪽으로
이사 가려면 집값이 너무 비싸서
괜찮은 집 구하기 더 힘들 텐데...

맞벌이하기엔 답이 없긴 하다.
믿고 맡길 만한 사람이
있으면 좋을 텐데...

아니면 여보가 일 그만두면 내가 다니는
직장 근처로 이사 가도 되고.
거기가 집값이 훨씬 싸니까.

이 집보다는 괜찮은데
구할 수 있을 거야.
응... 그래.
조금만 더 고민해 볼게.

내가 하는 일은 좋았는데, 보람도 있었고.
그런데 지금 일을 그만두면 경력단절이 되는데,
나중에 일을 구할 수 있을까?

이럴 줄 알았다면 육아휴직도 쓰지 말고
그냥 그만둘 걸 그랬나...
이렇게 갑자기 그만두면 회사에도
민폐일 텐데 너무 싫다...

나같이 중간에 그만두는
사람이 있으니
육아휴직을 지원해 주지
않으려는 회사들도
있는 거겠지.

반지랑 일 중에 고르라면
역시 반지겠지? 둘 다 챙기는 건 무리일까.

남뺑한테 그만두라고 하는 게 나았을까?

일을 그만둔다면
이직하거나 하고 싶은
일이 생겼을 때길
바랐는데...

안녕히계세요 여러분~
전 웹툰작가로 데뷔해서
회사를 떠납니다~
여러분도 행복하세요~!

내가 외벌이하긴 너무 빡빡하고,
일을 그만두긴 너무 아쉽고.
잠이 안 온다...
아이도 잘 키우고 싶은데,
준비가 되지 않은
상태로 아이를 낳은 걸까.

반지야 미안해.
아빠는 일을 그만둘 수 있다고 말하는데,
오히려 엄마가 망설이고 있구나.
엄마 욕심이 과한 걸까?
엄마가 그만두는 게 최선인 것 같은데,
왜 이리 어려울까.

오랜 시간 고민하면서
눈물로 밤을 지새웠다.

남삥... 아무래도 내가 일을
그만두는 게 나을 것 같아.
여보 회사 근처로 이사 가자.
그래. 어려운
결정 했네...
내가 어떻게든 우리 가족 먹여
살릴 테니 너무 걱정하지 마.

으응... 우선은 아이 좀 클 때까지만
아이 키우고, 일 구해보려고!
어떻게든 되겠지?
응! 여보는
잘 할 수 있을 거야.

그나저나 반지가 오늘따라 많이 보채더라.
힘들어서 저녁도 못 차렸어. 미안해…
그렇게 울더니 일찍 자네.

내가 간단하게 해줄게.
잠깐만 기다려.
응…
고마워~

집에 있는 재료로 만든
야채 볶음밥이야!

고마워! 잘 먹을게~

그날 남삥이 집에 있는 자투리 채소와
계란을 넣어서 만들어준 볶음밥은
나에겐 세상에서 가장 맛있는 볶음밥이었다.

오늘 낮에 아이와 씨름하며 지쳤던
내 몸에 활기를 불어넣어 줬고,
며칠간 눈물을 흘리며 공허해진
내 마음의 빈자리를 채워줬다.

사실 아이를 갖게 된 걸 알았을 때부터
내가 일을 그만둬야 한다는 불안감을 품고 있었다.
인정하고 싶지 않은 현실을 외면했을 뿐.

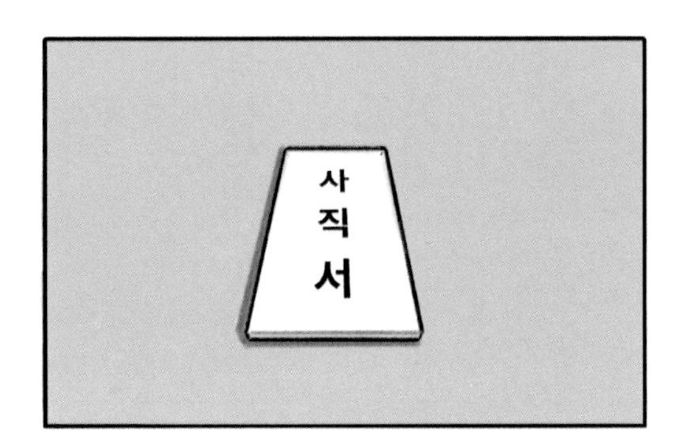


하루가 다르게 부쩍 크는 아기와 함께한 시간은
아마 훗날 돈을 주고도 살 수 없을 것이다.
여전히 마음 한구석엔 미련이 남았지만,
결국 나는 퇴사하기로 했다.

# 퇴사자의 고민

퇴사한다고 팀장님께 먼저 말씀드려야겠지…

팀장님 안녕하세요.
저 차엠인데요.
혹시 통화 가능하세요?

쌤~ 지금 괜찮아요.
무슨 일이에요?

저 아무래도 일을 그만둬야 할 것 같아요. 두 달 전에 찾아갈 때만 해도 꼭 복직하려고 했는데,
아이 맡길 데도 없고, 여건이 안 되네요. 너무 죄송해요.

아… 그렇구나. 쌤 어쩔 수 없죠.
근데 저번에 연락할 때도 고민하는 거 같아서 사실 예상은 했어요.

어차피 보통 복직하면
같은 팀 말고 다른 팀으로
배치되는 경우가 많아요.
쌤도 복직하면, 저희 팀 말고
본관으로 인사 이동될 수 있다고
총무팀에서 이야기하더라고요.

아마 사무실도 바뀌어서
복직해도 자주 못 보긴 했겠지만,
그만둔다니 아쉽네요.
저도요… 그럼 사직서
내러 7월에 찾아뵐게요.

네 알겠어요. 쌤. 그때 봐요~
제가 부장님이랑 관장님께
미리 말씀드릴게요.
네,감사
합니다.

2018년 7월
그럼 오늘 복지관에
그만둔다고 인사드리고 올게.
응 알았어.
여름휴가라
집에 있었음

반지, 지금 아침 먹였으니
2시간 후에 간식 주고,
냉장고에 반지 이유식 있는 거
12시쯤 주면 될 거야.
보통 밥 먹고 놀다가
오후 낮잠 자니까 재우고...
그리고...

걱정하지 말고
다녀와! 늦겠다.
후다닥!
응 알았어. 다녀올게!
반지야 엄마 나갔다 올게~
아빠랑 잘 있어!

오랜만에 출근길 지하철이라니.
아이 낳기 전으로 돌아간 것 같다.
출근역
두근
두근

덜컹
으으… 그래도 지옥철은
여전히 힘들구나… 숨 막혀.
예전엔 어떻게
매일 이러고 출근했지…
덜컹

복지관
관장실
안녕하세요.
꾸벅

오랜만이에요.
아기 잘 키우고 있어요?
네. 아이는 잘 크고 있어요.
복직 못 하고 퇴사하게 돼서 죄송합니다.
아쉽지만, 어쩔 수 없죠.
아기 잘 키우고 잘 지내요.
So Cool
감사합니다.
복지관
본관
센터
복지관에서 사무실로 이동
별관이라 차로 1시간 거리였음.

팀장님
안녕하세요.
쌤 오랜만이에요!
밑에 내려가서
잠시 이야기해요~

쌤~ 같이 일할 때
재밌었는데, 아쉽네요.
저도요...
제 마음대로 안 되네요.

저는 첫째는 이모가 봐주셨고,
둘째는 시댁에 도움받고,
어린이집 일찍 보내서
키우고 있잖아요.
저희 남편이 야간 근무하면
낮에 애 돌볼 때도 많고.

누구 도움 없이는 일하기가 쉽지 않죠.
일도 중요하지만, 아이를 키우는 일도
중요하잖아요.

점자도서관
점자교실

애 키우고 다시 일 구할 수도 있는 거고.
너무 조급하게 생각하지 말아요.

쌤은 어디 가서도
잘할 거예요~
감사합니다. 팀장님같이
좋은 분이랑 일해서 좋았어요.

오랜만에
직장에서의 수다.
아기 낳기 전 일상으로
잠시 돌아간
기분이 들었다.

아이를 낳기 전에는 혼자 나와서 일을 하고,
사람들을 만나서 대화하는 당연했던 일상이
아이를 낳은 후에는 누구의 도움 없이는 불가능해졌다.

아이를 낳았는데 한시도 떨어질 수 없으니
임신했을 때보다 더 활동 반경이 좁아졌다.

나는 출산 직후에는 우울증이 없었는데,
매일 집에서 지내는 생활이 1년이 다 되어가니
직장 복직 문제와 육아 스트레스가 너무 심해져서 무기력해졌다.

사회로 다시 나갈 수 있는 복직이라는 끈을 놓아버리기까지 망설였다.
육아라는 동굴에 영영 갇힐까 봐 두려웠다.

우리 딸~
오늘 아빠랑
잘 놀았어?
책 먹는
구강기 반지
놈놈
오늘 별로 울지도 않고
잘 먹고, 잘 놀았어.

진짜? 반지야 정말 고마워~
잘 놀아줘서.
꼬옥
덕분에 엄마도
회사 잘 다녀왔어.

후우... 나 근데 오랜만에
회사 다녀왔더니 엄청 피곤하다.
출퇴근 어떻게 한 거지...
오랜만에 나갔다 왔으니 힘들지.
나도 오늘 종일 애 봤더니 피곤하다.

엄마가 되고 무엇과도 바꿀 수 없는 행복을 느끼지만,

내 삶이 통째로 바뀌는 상황이 힘겨울 때도 있다.

여건이 된다면 엄마가 되어도 일하는 편이 더 좋다고 생각한다.
경제적 이유도 있지만 일하면서 얻는 성취감,
사회 구성원이라는 소속감은 크기 때문이다.

주변에 도와주는 사람이
많지 않은 이상
육아를 하다 보면 사회와
단절되는 경우가 많다.

아니면 주 양육자로서 아이를 잘 키우겠다는
단단한 마음가짐이 필요하다.
주변에 자신의 의지로 일보다 육아를 선택한 사람들도 있다.

고백하자면,
일을 그만둘 당시 마음이
완전히 정리되지 않아서
몇 년간 마음이
괴로웠다.

불확실하고 어려운 육아보다 힘들어도
확실한 보상이 있는 일로 도망가고 싶었다.

일과 육아를 병행하면서 잘하는 사람도 많고,
전업주부로서 육아와 살림을 잘 하는 사람도 많은 것 같았다.
그런데 나는 억지로 떠밀리듯 일을 그만둬서 일까?
내 역할에 자신이 없었다.
남과 나를 자주 비교하며, 괴로웠다.

지나온 날을 더 이상
후회하지 않고,
관점과 목표를
바꿔보기로 했다.

내 마음의 노선을 바꾸기까지 지난 몇 년간 고민했던
이야기를 계속 풀어나갈 예정이다.

생명을 낳아 기르고 돌보는 일은 충분히 가치 있는 일이다.

아이는 저절로 크지 않는다.

주 양육자의 말, 표정, 행동, 환경에 영향을 받는다.

누군가의 관심과 사랑이 끊임없이 필요한 존재이다.

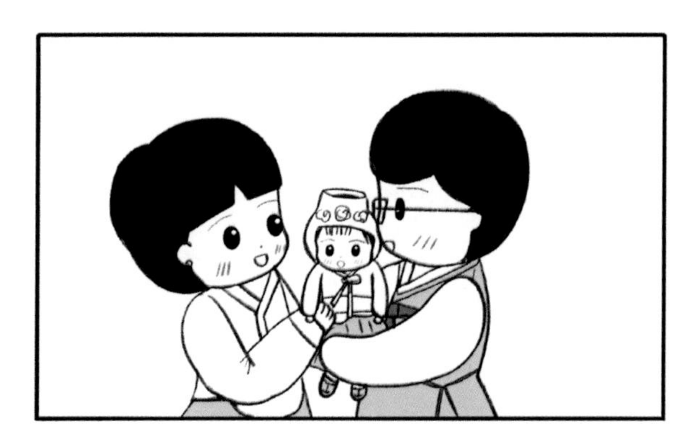

아이를 포기하지 않고, 잘 키우려는 부모의 노력을

대체할 수 있는 게 있을까?

일과 육아를 병행하며 고군분투하는 모습도

일을 그만두고 아이와 좀 더 많은 시간을 보내는 모습도 소중하다.

비교의식을 내려놓기로 했다.

계속 자라고 있는 아이와 손잡고 걸으며,

나도 함께 성장하고 싶다.

# 평범한 행복을 위해

내가 퇴사하기로 한 뒤 집을 내놨고, 다행히 집이 금방 나갔다.

흐음... 이사 가려니 좋은데,
거기 가서 내가 일 구할 수 있겠지?
그럼 다른 데
가고 싶은데 있어?

딱히 없는데... 서울 쪽이 일자리가
많긴 하니까... 근데 집값이 너무 비싸지.
아니다. 차라리
이사 가면 차를 사자.
운전 연수받고,
운전해서 출퇴근할 수
있는 데를 알아봐야지.

퇴사했는데도 자꾸
일에 대한 미련이 남네.
애 어린이집 보내면,
무조건 나 취직할 거야!

근데 아까 말했던 동네 말이야.
여보 회사에서 얼마나 걸려?
차로 30분? 대중교통으로 가면 빙 돌고
기다리는 시간도 있으니 1시간 좀 넘게 걸리려나.

와~! 차 타고 오면 집에 6시 전에
퇴근하겠다! 대박!
2시간이 절약되네.
이 집에선 대중교통으로
왕복 3시간 넘게 걸리잖아.
여보 빨리 오면
나도 좋겠어~

응 그치. 나도 출근할 때
좀 늦게 나가도 되고.
여기선 새벽 6시 전에
나가야 하니까…
나 내일 대출받는 거
점심시간에 상담받고 올게.

우리가 집을 알아본 곳은
20년 된 아파트가 몇 개
붙어 있는 작은 동네였다.

아파트 단지 두 곳을 정해서 집 5군데를 하루에 다 둘러봤고,
그중에서 가장 마음에 드는 집을 바로 계약해서 샀다.

신혼집 구할 땐 몇 날
며칠을 발품 팔아서
고생했는데,

집값이 비교적 저렴한 지역이기도 했지만
대출을 끼니 집을 선택할 수 있는 폭이 훨씬 다양해진 걸 느꼈다.

이사 갈 날짜가
정해지고, 우리 부부는
바빠졌다.
나는 집에서 아이를
돌보며 이사
준비를 했고.

우리가 이사 갈 날짜보다
집주인이 일주일 정도
먼저 집을 비워줘서
간단하게 리모델링 공사
를 할 수 있었는데,

남삥은 휴가를 내고 공사를 틈틈이 도와줬다.

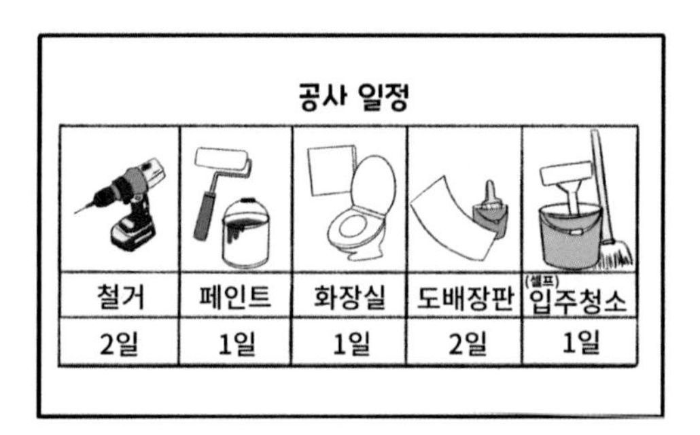

공사 일정

| 철거 | 페인트 | 화장실 | 도배장판 | (셀프) 입주청소 |
|---|---|---|---|---|
| 2일 | 1일 | 1일 | 2일 | 1일 |

인테리어 공사를 하기엔 일주일은 촉박했지만
기간을 연장할 수 없어서 짧은 기간 내에 최대한 작업을 했다.

나 왔어. 반지는 자?
응. 좀 전에 잠들었어~
아이고... 여보 엄청 피곤해 보인다.
추욱...

오늘 싱크대 해체를 했는데, 나사를 100개는 넘게 풀었나 봐. 그리고 철거한 거 계속 날랐어.
털썩...
힘들었겠다. 내일은 뭐해?

이제 철거 작업은 다 했고, 내일은 사람들 와서 페인트칠 한다고 하셨어.
응. 고생해요~ 3일만 시간이 더 있었으면 조금 여유로웠을 텐데 일정이 진짜 빡빡하다.

업체를 끼지 않고 친정 아빠가 아는 사람을 부르셨고
직접 공사를 지도하셔서
기간 내에 작업을 마치고 저렴하게 공사할 수 있었다.

친정 아빠가 가정에
충실하지 않으셔서
어렸을 때는 아빠를
원망한 적도 있었다.

내 결혼식 때 아빠는 몸도 안 좋으셨고 경제적으로 힘든 상황이어서
딸에게 아무것도 해주지 못한 걸 미안해하셨다고.

그래서 우리 집 공사에 신경을 많이 써주셨다는 걸 최근에야 알았다.
남삥과 아빠의 손길, 내 퇴직금으로 새 단장한 우리 집.
우리는 그렇게 이사를 했다.

20년 넘은 아파트였지만, 공사를 하니 집이 깔끔해졌다.
무엇보다 뒷베란다로 보이는 탁 트인 전경이 마음에 들었다.

남삥은 이사 오고 같은
동네에 사는 직장 상사가
1년 동안 카풀을 해주셨다.

덕분에 7시 넘어서 집에 오던 남삥이 6시 전에 집에 왔다.
저녁이 있는 삶이 생겼다. (남삥네 회사는 8시 출근 5시 퇴근입니다.)

집에 엘리베이터가 있고, 집 근처에 놀이터와 공원도 많아서
유모차를 끌고 아이와 산책을 할 수 있어서 좋았다.

이사 온 집 진짜 마음에 들어! 깔끔하고! 우리 집이 생기다니 최고야~ 평생 살자.
15개월 반지
평생 살긴 좀... 돈 더 모으면 더 좋은 데로 가야지.

아 그런가? 여기서 반지
초등학생 때까진
살아도 괜찮을 것 같아~
초중고가 집 바로 앞에
다 붙어 있는 것도
마음에 든다.

응~ 반지도 이 집에
적응도 금방 한 거 같아.
그러니까!
얘 좀 어둡거나 공간이
마음에 안 들면
울었는데...
이사 오기 전에 매일 나가자고 떼썼잖아.
이 집 와선 나가자고 별로 안 그런다.

집 사는 일은 먼 훗날 일인 줄 알았는데,
반지 덕분에 집을 빨리 샀다!
다행이지 뭐. 신혼집 생각하면...
너무 열악했어.

(반지야 고마워 네 덕분에 집 샀어.
몇 년 사이 집값이 너무 올랐네요 ㅠㅠ)

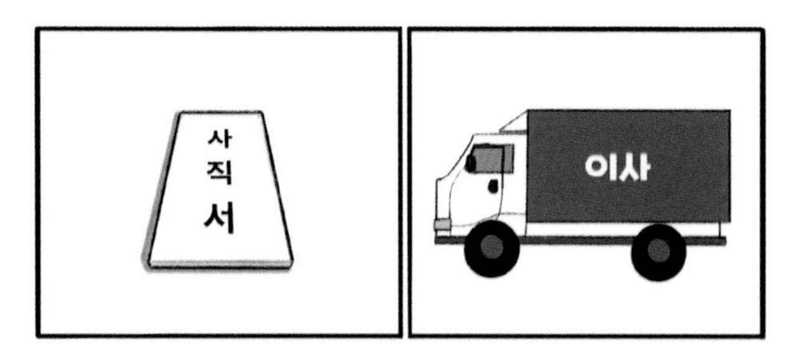


어린아이 돌봄을 전담해야 할 사람이 필요해서 내가 퇴사했고
아이와 좀 더 나은 환경에서 살고 싶어서 이사를 했다.

맞벌이였던 우리가 외벌이가 됐고, 집을 사면서 빚이 생겼다.
겉으로는 좀 더 풍요로워 보이지만,
아이를 낳기 전에 비하며 수입이 줄고 지출은 늘었다.

아빠가 경제적
책임을 담당하고,
엄마가 육아를 하는 흔한
가정이 되었다.

안정적이지만, 한편으로는 위태롭다고 느낄 때도 많다.

**(코시국에도 해외출장 한 달 이상 감)**

홀로 돈을 벌고 부양할 가족이 생긴 남삥은
쉽게 일을 그만두거나 이직하기 힘들다.
나는 출장이 잦은 남삥 때문에 혼자서 육아를 할 때가 많고,
코로나 팬데믹이 장기화되면서 취업을 계속 미루게 됐다.

아이를 낳으면 육아도
가사도 경제적 책임도
부부가 반씩 나눠서
전담하기 바랐지만,

어쩌다 보니 역할과 책임이 한 사람에게
더 치우쳐진 형태로 살고 있다.

결혼 전이나 아이를 낳기 전으로 돌아가고 싶지는 않다.
아이와 함께 하는 삶, 셋이서 부대끼는 충만함을 놓을 수 없으니까.

다만, 평범하게 가정을 꾸리고 아이를 키우는 게
결코 쉽지 않다고 느낀다.
평범한 행복을 위해 우리는 애쓰며 살아가고 있다.

2권에서 계속

## 육아도 경력이 될 수 있다면 1

**발 행** | 2024년 04월 01일
**저 자** | 차엠(조남주)
**교 정** | 최세희
**펴낸이** | 한건희
**펴낸곳** | 주식회사 부크크
**출판사등록** | 2014.07.15.(제2014-16호)
**주 소** | 서울특별시 금천구 가산디지털1로 119 SK트윈타워 A동 305호
**전 화** | 1670-8316
**이메일** | info@bookk.co.kr

**ISBN** | 979-11-410-7887-4

www.bookk.co.kr